W9-AZY-266

공부 도둑놈,
희망의 선생님

공부 도둑놈, 희망의 선생님

2000년 5월 6일 재판 1쇄 발행
2001년 7월 26일 재판 2쇄 발행

지은이/신호범
펴낸이/윤석금
펴낸곳/(주)웅진닷컴
주소/서울시 종로구 인의동 112-2 웅진빌딩
편집부 3670-1854~5, 영업부 3670-1862~6
인터넷 홈페이지 http://www.woongjin.com
출판등록/1980년 3월 29일 제1-a0352호

주문처/한국출판유통(주)(일원화공급처)
전화 031-945-1001~2
팩스 031-945-0412~3

편집이사/박익순
편집장/이미혜
편집책임/황성혜
편집/장석희
교정/조선경
북디자인/명희경
본문그림/백현수
전산사식/서가

ISBN 89-01-02849-2

이 책의 인세수익금은 전액 입양아와 교포 2세의
문화교육 및 지도자 양성기금으로 사용됩니다.

공부 도둑놈,
희망의 선생님

신호범 자전 에세이

웅진닷컴

감사의 말

가슴 속에 과거 속에 꼭꼭 묻어 두었던
부끄러운 이야기들이 글이 되어 책으로 엮어지니
땅 끝에라도 가서 숨고 싶은 마음입니다.

저의 모든 것을 한 폭의 그림처럼 여러분 앞에
감히 내 놓게 된 것은
제 지나온 이야기들이
삶에 지쳐 실망하고 외로운
단 한 사람, 한 마음에게라도
별빛처럼 찾아가
위로와 용기의 한 가닥 빛이 될까 싶어서입니다.
지난 65년간 사랑과 격려로 제게 힘을 주신
모든 분들께 보답하고
오묘하신 하나님 은혜에 감사하고자
알알이 풀어냈습니다.
모든 분들께 사랑과 감사를 드립니다.

1999년 12월
신 호 범

별을 세다 별이 되어

배가 고파서 별을 세었고
엄마가 보고 싶어 별을 세었습니다.

고향이 그리워 별을 세었고
타국 생활 서럽고 고달파 별을 세었습니다.

희망이 없어서 별을 세었고
내가 너무 작아 별을 세었습니다.

별을 세다 보면
꿈을 꾸듯 희망이 생기고
내 자신을 망각한 채
별 속에 서서
별만 셉니다.

희망의 활주로

"당신, 비행기에서 금방 내린 사람 같지 않네요."

아내 다나가 놀란 표정으로 말을 건넸다.

우즈베키스탄에서 한국으로, 다시 LA를 거쳐 시애틀로 왔으니 비행기만 30시간이 넘게 타고 온 터였다.

"그래? 내가 어때서?"

"글쎄요……. 꼭 아침에 일하러 나가는 사람 같아요."

한 달 전, 지치고 상한 마음으로 도망치듯 시애틀을 떠날 때 하필이면 춥고 가난한 우즈베키스탄이냐고 울먹이던 그녀였기에 지금의 내 모습에 놀라는 것은 당연한 일이었다.

워싱턴 주 부지사에 출마했다가 0.4%라는 기막힌 차이로 낙선한 직후였다. 교포들을 실망시킨 나는 도저히 그대로 있을 수가 없어 어디로든 가야 했다.

'사모아 섬? 유럽? 아니면 미국 내 어느 한적한 호숫가?'

그러나 아무리 생각해 봐도 나 자신에 대한 절망으로부터 달아나 숨을 수 있는 곳은 세상 어디에도 없었다.

그때 내가 나가는 한인 교회의 최 목사님이 권유하셨다.

"신 박사님, 너무 조용한 곳이나 화려한 곳은 인간을 더 외롭게 만듭니다. 우리 흩어진 한민족이 고통받았던 역사를 한번 돌아보시지요."

시택 공항을 떠나며 말도 많고 탈도 많던, 그러나 언제나 아름다운 호수로 수놓아진 시애틀을 내려다보았다.

'내가 사랑한 이 도시, 하지만 지금은 미운 마음뿐이구나.'

고마운 사람, 야속한 사람들의 얼굴이 스쳐 가고 가슴을 찌르는 듯한 통증이 전해져 왔다.

'왜 하필 0.4%냐! 차라리 20~30%쯤 졌다면 약이나 오르지 않지. 한 달만 더 일찍 선거운동을 시작했더라면, 아니 1주일만 빨랐어도 이길 수 있었을 텐데…….'

망설이다 그만 아까운 패배를 당한 것이었다. 속이 터질 것 같아 마구 걷고 소리라도 지르고 싶었지만, 3등석 비행기 안은 너무 좁았다.

"신 박사님의 도전은 바로 우리의 도전입니다."

"우리 자식들을 위해 싸워 주세요."

"떨어지면 어떻습니까. 떨어져 봐야 붙는 법을 배우지 않겠습니까."

백인들 틈바구니에서 제대로 기 한번 펴 보지 못하고 살고 있는 우리 교포들이었다. 그들을 대신하는 마음으로 사력을 다해 뛰었건만…… 미안하고 면목이 없었다.

"신 박사는 이제 가망이 없어!"

"이제 무슨 얼굴로 한인 사회에 나오겠어."

"끝난 거야."

사실 그런 말들이 들려오지 않았다 해도 주 하원으로 있을 때 연방 하원에 도전했다가 떨어지고 다시 부지사에 도전한 것인데 또 떨어진 이 마당에 내가 무슨 낯으로 한인 사회에 얼굴을 내밀 수 있겠는가.

"남한의 두 배보다 더 큰 워싱턴 주의 1백20만 유권자 중 겨우 5천8백 표 차입니다. 이건 오히려 우리 한인 사회의 승리라면 승리지, 신 박사님의 실패는 절대 아닙니다."

"이제 길을 터 놓으셨으니 다음 번 도전은 더욱 쉬워졌습니다."

이렇게 저렇게 위로들 하지만 내 마음은 텅 빈 벌판 같아 선거 치른 다음 날 곧바로 스노퀄미 산 속으로 들어가 이틀 동안 눈 쌓인 나무와 산만 보다 가방을 싼 것이다.

'여론도 언론도 제각각인 교포 사회를 떠나 어서 멀리 가자.'

좋은 점만 골라 가며 써 주어도 나 아닌 딴 사람 기사를 읽는 것 같아 어색하지만 앞뒤 상황을 알아보지도 않고 기사화해 내용 모르는 교포들을 우왕좌왕하게 하는 신문에다가 신문끼리 경쟁하느라 무조건 반대편에 서서 비판만 일삼는 신문까지 있으니…….

'이제 나는 뭘 해야 하나…….'

연방 하원에 떨어졌을 때처럼 다시 강단으로 돌아간다면 학생들이 나를 어떻게 생각하겠는가! 아예 전부 은퇴하고 남들처럼 골프나 치며 살아 볼까? 꼬리를 무는 생각 속에서 몸부림을 치다 김포 공항에 내렸다. 이틀 후 예정대로 우즈베키스탄으로 가기 위해 공항으로 가는데 라디오에서 뜻밖의 소식이 흘러나왔다.

"시애틀 총영사인 ○○ 총영사가 오늘 오후 김포 공항에서 구속, 수감되었습니다. ○○ 총영사는……."

교민들을 위해 맨발로 뛰다시피 한 사람이었고 내 선거도 열심히 도왔는데 구속이라니……. 내일을 장담할 수 없는 사람 일에, 믿을 수 없는 세상사에, 인생의 덧없음에 한숨만 나왔다.

천근만근 무거운 마음으로 눈 쌓인 우즈베키스탄의 타슈켄트 공항에 내렸다.

사람들로 북적대는 공항은 난방도 안 되는지 아직 11월 중순인데도 온몸이 얼어붙을 지경이었다. 불빛마저 희미해 우울한 내 마음을 더 가라앉게 만들었다. 두리번거리는 내게 할아버지 한 분이 다가왔다.

"신 박사님이시죠? 저는 한임마누엘 목삽니다."

낚아채듯 내 가방을 빼앗아 들더니 두말없이 돌아섰다.

목사님이 빌려 왔다는 차는 냉장고와 다를 바가 없었다. 1시간 이상 차 속에서 떨다가 꽁꽁 언 몸으로 목사님의 거처인 허술한 오두막 같은 집으로 들어갔다. 천장에 매달린 알전구가 좁은 실내에 희미한 빛을 던지고 있었다.

"난 원 없이 돈도 벌어 봤고 하고 싶은 짓은 다 해 봤어. 그런데 환갑을 앞두고 그만 위암에 걸려 사형 선고를 받았지 뭐야. 그래서 이것저것 다 때려치우고 미국으로 가 기도하다가 좋은 의사를 만났지. 병이 낫고 나니 남은 인생은 하나님께 드려야 할 것 같아 신학교에 들어갔다네."

"연세도 많으신데 혼자 계시기 힘들지 않으세요?"

"아이들은 다 컸고, 마누라는 손주들 재롱이나 보면서 살겠대."

일요일이 되어 교회에 갔더니 추운 강당에서 네 사람이 의자를 번쩍 들고 벌을 서고 있었다. 그 중 한 사람은 목사님에게 차를 빌려 주었다는 의사였다. 어른들이 애들처럼 의자를 들고 벌서는 모습은, 웃을 기분이 아니었던 나조차도 웃음을 참을 수 없을 만큼 진풍경이었다.

"이 개놈들! 제 나라 말도 못 하는 놈들을 어찌 사람이라 할 수 있느냐!"

교회에서 한국말을 가르치고 한국말만 쓰도록 하는데 소련말을 했다고 가차없이 벌을 세운 것이었다.

1937년 스탈린은 16만 명의 한인을 열차 화물칸에 태워 카자흐스탄의 눈 쌓인 벌판에 강제 이주시켰다. 그 후 50년 동안 한국말을 쓰지 못하게 해 1세들도 한국말을 거의 잊었는데 하물며 2세, 3세들이야 오죽하겠는가. 그런 어려운 상황이었음에도 목사님의 의지와 열정은 대단했다. 하지만 아직 한국말을 잘 하는 통역이 없어 나는 영어로 인사를 할 수밖에 없었다.

"반갑습니다. 땅끝인 줄 알고 왔는데 여기서 다시 우리 한민족을 만나는군요. 우리 한민족은 어디를 가도 한민족일 수밖에 없습니다. 나중에라도 다시 만나면 그때는 모국어로 모국을 이야기할 수 있게 되기를 기도하겠습니다. 저는 작은 실패에 좌절해서 이곳으로 왔는데 여러분을 뵈니 부끄럽기 한이 없습니다. 그 모진 고난 속에서도 꿋꿋하게 살아남은 우즈베키스탄 한민족을 만났으니 저도 이젠 희망과 용기를 갖고 살겠습니다."

카자흐스탄의 수도인 알마아타에서 만난 김기호 목사는 내게 또 다른 충격을 주었다. 마흔도 채 안 된 젊은 부부가 아홉 살과 일곱 살인 두 아이를 데리고 추위와 배고픔도 아랑곳하지 않고 한국말을 가르치고 있었다. 스웨덴에서 전기학을 공부하다가 소련에서 선교 활동을 하는 친구를 만났고, 그때부터 신학 공부를 시작해 선교사가 된 부부였다.

김 목사의 안내를 받아, 스탈린에 의해 강제 이주당한 사람들이 추위를 피하려고 땅을 파들어가다 보니 만들어졌다는 땅굴들과 겨울 동안 얼어 죽고 굶어 죽은 이들의 무덤을 둘러보곤 기가 막혔다.

'왜? 왜? 왜? 한민족에게만 이토록 혹독한 핍박과 고난이 따르는가?'

억울하고 분해서, 불쌍해서 울었다.

끝없이 펼쳐진 목화밭, 배추밭을 지나자니 한편으론 놀랍고 다른 한편으론 가슴이 아렸다. 나무는커녕 풀 한 포기 제대로 자라기 힘든 황무지를 피와 땀과 눈물로 일구어 옥토를 만들었을 이들의 처절한 고통이 눈앞에 보이는 듯했다. 이제 그들은 가고 없지만 후세들이 이 땅에서 그들을 핍박했던 사람들보다 더 잘 살고 있다니……. 다시 한 번 눈물이 핑 돌았다.

그날 저녁, 김 목사 집으로 노인 몇 분이 찾아왔다. 스탈린의 강제 이주를 직접 체험한 사람들이었다. 공산당에 가입해 반장도 되고 땅도 받아 잘 사는 사람도 있었지만 대부분 노동자였다.

"내가 여덟 살 때였지. 우리 가족은 꽁꽁 얼어붙은 땅을 돌로 파서 굴을 만들었어. 그 속에서 서로 끌어안고 눈보라를 피했지."

"그때의 추위와 배고픔은 지금 생각해도 뼈가 저려."

살아남기 위해 어른 아이 할 것 없이 눈만 뜨면 일에 매달려야 했기에 제대로 배운 것이 없어 노인들은 한국말도 소련말도 모두 엉터리였지만 그 안에 담긴 것들은 무엇보다 순수하고 진실했다.

서건희 대사가 차를 내주어 벌판에 서 있는 한국 학교를 돌아보고 역사 깊은 우즈베키스탄 실크 로드를 지날 때는 새삼 인생은 짧고 역사는 길다고 느꼈다.

타슈켄트 문화원의 정만섭 교육원장이 1세들 40명을 초청해 대접하고 대화의 시간을 마련했다. 그 자리에서 노인들은 돌아가며 이미 희미해진 옛 이야기이지만 가슴 깊이 새겨져 있고 뼛속에 사무친 사연들을 털어놓았다. 그 가슴아픈 이야기들이 그들에게는 모두 함께 겪었던 일이기에 더 이상 설움이 북받치지도 않는지 이따금 눈물만 흘릴 뿐 오열도 통곡도 없었다.

"하루하루가 그저 지옥이었어. 사방에 죽은 사람이 널려 있고, 여기저기서 곡소리가 잠시도 그치지 않았으니까."

"그것도 처음이지, 나중에는 모두가 당하는 일이라 울지도 못했고 그저 서로 얼굴 표정 보고서야 그 집에 초상이 난 줄 알았다니까."

"산 사람을 위해 땅을 파고, 죽은 사람을 위해 땅을 파고……. 자고 깨면 땅을 팠지 뭐야."

"내 이름은 조선아야. 우리 아버지가 조선이라는 이름을 부르고 싶어서 내 이름을 선아라고 지었다오."

'조선아!'

순간 나는 숨이 턱 막혀 왔다.

"소련 군인들은 내 앞에서 아버지를 총으로 쏴서 달리는 기차 밖으로 내던져 버렸어."

조선아 할머니의 아버지 조명희 씨는 북간도에서 독립운동을 했다. '만보산 사건' 이후 하바로프스크로 이주해 '대한 독립군'에 몸담았던 독립운동가로 화가이며 시인이자 소설가였다.

조국을 향한 사무치는 그리움과 뜨거운 사랑을 딸의 이름을 부르며 달래다가 이름 모를 벌판에서 한줌 흙으로 돌아갔을 그의 한이 무력감에 빠져 있던 내 가슴에 불화살이 되어 날아와 꽂히는 것 같았다. 부끄러움과 새삼 타오르는 내 나라와 내 민족에 대한 사랑으로 가슴이 뜨거워졌다.

"그 동안 나라와 민족을 위해 일했다고 자부하고 자만했던 것을 이제는 다 버리겠습니다. 얼마나 게으르고 얼마나 무지했는지 이제야 깨달았습니다. 우리에게 다시 닥칠지도 모르는 시련에 대비하는 길이라면 화약을 지고 불구덩이에라도 뛰어들겠습니다."

그때의 그 각오는 이후 연이은 실패와 좌절 속에서도 나를 다시 일어서게 하는 원동력이 되었다. 언론과 정계는 물론이고 가까운 친구들까지도 무리라고 말리는 주 상원에 도전했고, 사람들 말처럼 초인적인 노력 끝에 상원에 당선했던 것이다. 이제는 언제나 지치고 낙심될 때면 나도 조명희 선생님처럼 그 이름을 불러 보게 되었다.

"조선아! 조선아!"

기장의 시애틀 도착 예고가 스피커를 통해 흘러나왔고 시애틀 상공을 크게 한 번 선회한 비행기는 마침내 곧게 뻗은 활주로를 향해 서서히 기수를 낮추어 다가갔다.

40여 년 전 미군 부대 화물선 콘테스트호에서 내다보던 바로 그 전등꽃으로 덮인 시가지. 초라한 행색의 한 입양 소년이 겁에 질린 눈망울로 공부가 하고 싶다는 막연한 꿈을 안고 이 땅을 밟았듯이 그가 이제 노년의 나이로 꿈을 잉태하고 이 땅을 다시 밟는 것이다.

그래 가자. 어서 빨리 가자. 가서 다시 한 번 더 도전하자. 아니 도전했다 실패하면 다시 도전하고, 또다시 도전하리라. 2세, 3세…… 우리 후세들이 이 넓은 미국 땅에서 마음껏 날개를 펴고 날아오를 수 있도록, 내가 그들에게 희망의 활주로가 되어 주리라.

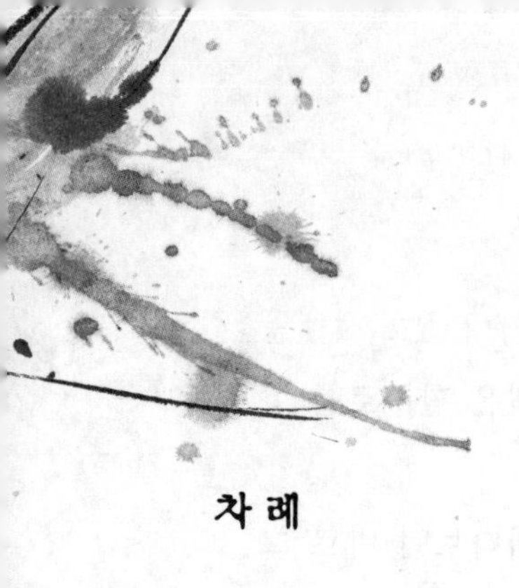

차 례

제3장 나는 누구인가

제1장

별을 세며 보낸 나날들

별을 세다 별이 되어 2

누가 말했나
사람이 죽어서 별이 됐다고
크고 반짝이는 저 별이
엄마별일까
엄마 곁으로 가는 길은
별이 되는 걸 거야.

엄마와 함께 있다면
엄마 품에 안기고
엄마 곁에 잠들 텐데.

엄마 따라 들로 나물 캐러 가고
엄마 손 잡고 강가에 놀러 갔다
엄마 등에 업혀 돌아오겠지.

누가 말했나
사람은 죽어서 별이 된다고
작고 반짝이는 별이 되어
엄마별 찾아가
엄마 품에 안기는
별이 되어 볼거나

산 넘어 가 버린 어머니

"나무 안냐."

"아찌 안냐."

"멍머 안냐."

이제 막 말을 배우기 시작한 내가 허옇게 센 머리에 허리마저 다 꼬부라진 할머니 등에 업혀 엄마를 만나러 가는, 동네 어귀에 들어서며 하는 말이었다.

"어멈아, 호범이 왔다."

할머니는 싸리문을 밀고 마당에 들어서며 안집 주인이 들을까 봐 나지막이 불렀다.

쪽문이 맥없이 열리고 한눈에도 병색이 완연한 어머니가 얼굴을 내밀었다.

"어머니 오셨어요? 호범아, 어서 온."

"오늘은 좀 어떠냐?"

"전 괜찮아요. 그보다 어머니께 이렇게 큰 짐을 지워 드려서……."

"이것아, 내 걱정일랑 말고 네 새끼를 생각해서라도 제발 몸 좀 추슬러라."

"죄송해요……."

그러나 어머니는 끝내 자리에서 일어나지 못하고 내가 만 네 살이 되던 해에 돌아가셨다.

어느 날 외숙모 손을 잡고 대문에 들어서던 나는 마당에서 사람들이 서성이며 관을 짜고 있는 것에 어린 마음에도 섬뜩한 예감이 들어 할머니를 찾았다.

"할머니, 할머니."

"오냐, 내 새끼, 아이고……."

"엄마 어딨어? 엄마 어디 갔어?"

대답 대신 눈물만 흘리는 할머니의 치맛자락을 마구 잡아당겼다.

"엄마는? 엄마 어딨냐니까?"

"네 어민 산 넘어 갔다."

"엄마 빨리 오라고 그래."

"아이고, 불쌍한 내 새끼, 내 새끼 불쌍해서 어쩔거나, 아이고……."

나는 며칠이 지나도 잊을 줄 모르고 자꾸만 엄마 어디 있느냐고 물었고, 그때마다 할머니는 똑같은 말을 했다.

"네 어민 다시 못 와! 땅 속에 묻었어! 아이고, 불쌍한 내 새끼……."

"내가 가서 삽으로 파 올게."

여러 날 떼를 썼단다.

젊은 나이에 아내를 잃은 아버지는 넋을 놓고 지내다가 나를 외할머니에게 맡긴 후 어디론가 떠나 버렸다.

나는 1935년 9월 경기도 금촌읍 대골 마을에서 신광성, 강정림 두 사람의 장남으로 태어났다.

기골이 장대하고 힘이 장사였던 아버지는 비록 머슴이었지만 인정이 많고 의리가 있었다. 개울에 빠진 우마차를 끌어내 주는 등의 힘깨나 써야 하는 동네일은 도맡아 해 와서 동네에서 칭찬이 자자했다.

아버지는 3대 독자였고 3대가 모두 배운 것이 없어 소작을 짓거나 품을 팔아 살았다.

그런 아버지 집안에 비해 외갓집은 자작농이었고 자손이 많은 집안이었다.

어머니는 키는 컸지만 전형적인 동양 미인이었다. 갓 쓰고 수염을 길게 기른 모습으로 글 읽기를 좋아한 선비풍의 외할아버지와 부지런한 외할머니의 장녀로 태어나 남부럽지 않게 자랐다.

가난한 아버지에게 시집 온 어머니는 새 집에서 남이 먼저 아이를 낳으면 부정을 탄다는 집주인의 성화에 못 이겨 이른 새벽 차가운 부엌 바닥에서 나를 낳았다.

나를 낳자마자 유방암으로 자리에 눕게 된 어머니는 나를 외할머니에게 보냈다. 나는 어머니의 젖 대신 할머니의 미음으로 자랐다. 고된 노동에 허리가 휜 할머니의 등에 업혀 1주일에 한두 번씩 어머니를 만나러 다녔다.

"하늘도 무심하시지…… 이 어린것이 무슨 죄가 있다고…… 쯧쯧."

"제 자식 고생시키는 불쌍한 년……."

신음을 토해내듯 뱉는 할머니의 말이 점차 커 가는 내 귀에 들려오기 시작했다.

나는 어머니의 얼굴을 기억하지 못한다. 내 기억 속의 유일한 어머니는 소나무 속껍질 삶은 물을 옷에 흘려 묻힌 얼룩 때문에 날 야단치던 모습뿐이다.

어머니는 아들을 낳았지만 그 기쁨을 누려 보지 못했다. 젖 한번 물려 보지 못한 핏덩이를 노모의 등에 업혀 보낸 어머니였다. 그 어미의 심정을 헤아릴 수 없었던 내게 어머니는 그저 제 자식 고생이나 시키는 매정한 엄마였다.

긴 강둑 위를 비틀비틀 걸으며 소리를 지르던, 술 취한 아버지의 모습이 지금도 기억난다.

몸이 부서져라 일을 해도 입에 풀칠하기 바쁜, 내일 없는 하루하루. 집에 들어와 봐야 병든 아내만이 기다리고, 아직 어린 아내를 위해 병원에 한번 못 데려가는 젊은 청년 아버지의 고뇌. 술이라도 취해 기구한 자신의 삶을 호통치며 맺힌 한을 달랠 수밖에…….

나는 어쩌다 한 번씩 보는 그 아버지가 무서웠다.

38선 최전방인 문산과 일산 사이의 금촌에서 버스도 다니지 않는 길을 30분쯤 걸으면 대골 마을이다. 50여 채의 초가집이 옹기종기 모여 있는 전형적인 농촌이었다. 마을 동쪽으로 논밭이 펼쳐져 있고 그 끝에 보이는 마을이 봉일천이다. 그곳에는 1주일마다 장이 섰는데, 그런 날이면 아버지는 어김없이 술에 취해 긴 둑길을 위태롭게 걸어왔다.

마을의 남쪽으로는 샛강이 흘렀고, 강을 가로지르며 서쪽으로 신의주까지 이어진 기찻길이 있었다. 첫 기차가 검은 연기를 내뿜으며 달려가는 새벽이면 온 동네가 잠에서 깨어나 고된 노동의 하루를 시작했다.

외갓집에는 외삼촌 내외와 어린 동생들이 셋이나 있었다. 항상 종종걸음을 치며 손주들을 돌보는 할머니가 있었지만 나까지 얹혀 살게 되자 말할 수 없이 번잡했다. 그런데다 외삼촌마저 돌아가시자 농사일만으로도 벅찬 외숙모에게는 철없는 내가 달가울 턱이 없었다.

대골 마을엔 신씨 일가가 많았던 덕분에 나는 이집 저집 놀러 다니며 하루를 보냈다. 그러나 제 집 자식 거두기도 어려운 시절이었으니 갈 곳은 많아도 반기는 집은 없었다. 아무도 내게는 밥 먹었느냐고 묻지 않았다. 어쩌다 함께 상에 앉아도 내 밥에는 쌀이 보이지 않았고 내 국그릇에는 건더기는 없이 국물만 있었다. 내가 불쑥 나타나면 먹던 것을 슬그머니 치우고 끼니때가 되면 "넌 이제 그만 가거라." 하며 등을 떠밀었다.

집에서나 밖에서나 눈칫밥에 조금씩 철이 들던 그 시절, 나는 동네 천덕꾸러기로 커 가고 있었다.

엿장수가 될 테다!

전쟁이 막바지에 이르자 일본인들이 온 산의 나무를 모조리 베어가 버려 땔감조차 구할 수 없는 추운 겨울에는 옷을 아무리 껴입어도 뼛속까지 파고드는 추위를 막을 수 없었다. 우물까지 얼어 버리는 한겨울엔 대골 마을 인심도 함께 얼어 버렸다. 시계라고는 구경도 할 수 없었던 가난한 농가에서는 지나가는 기차 소리로 시간을 알았고, 나는 빈 창자를 훑고 지나가는 꼬르륵 소리로 시간을 알았다.

"네 어미는 도대체 어디 갔기에 네가 이 고생이냐."

며느리의 눈치를 살펴 가며 나를 챙기는 할머니가 가여웠다.

긴 겨울을 나고 봄이 지나 여름이 다 되도록 학교에 보내 준다는 말이 없었다. 그날도 하루 종일 온 동네를 하릴없이 빙빙 돌다 돌아오니 식구들과 또 다른 사촌들이 모여 방망이로 엿을 두들겨 깨서 나누어 먹고 있었다.

"내 건 어딨어요? 나도 엿 줘요."

얼른 보니 남은 것이 없었다. 급한 마음에 옆에 있던 어린 동생의 손에 들린 엿을 뺏어 들었다. 제 몫을 빼앗긴 동생은 뒤로 나자빠지며 까무러칠 듯 울음을 터뜨렸고 화가 난 외숙모는 엿을 쪼개던 방망이로 나를 사정없이 두들겨팼다.

울며 집을 뛰쳐나온 나는 외숙모 보기가 민망해 어두워질 때까지 강둑에 숨어 있었다. 식구들이 잠들기를 기다려 슬며시 방에 들어가 누웠지만 배는 고프고 온몸은 쑤셔 댔다.

'엄마는 나를 놔 두고 산 넘어 갔다는데 아버지는 도대체 나를 버려 두고 어디로 간 걸까?'

잠은 어디론가 달아나 버리고 서러운 생각만 꾸역꾸역 몰려들었다. 소리 죽여 베갯잇만 적시다가 살그머니 일어나 툇마루 끝에 앉아 할머니를 기다렸다.

검푸른 여름밤 하늘의 별들이 초가집 지붕 위로 금방이라도 쏟아져 내릴 것만 같았다. 사립문 밖 논에서는 개구리들이 저희끼리 신이 나서 울어 대고 있었다.

어느 집으로 마실을 갔는지 밤이 깊도록 오지 않는 할머니를 기다리다가 그 밤으로 나는 집을 나오고 말았다.

금촌역 한귀퉁이에 쪼그리고 앉아 밤을 새우며 행여라도 마음이 약해질까 봐 나는 자꾸자꾸 다짐했다.

'나는 이다음에 크면 엿을 많이 만들 거야. 동네 아이들과 나누어 먹을 거야!'

'돈을 벌어야 해. 서울로 가야 해.'

새벽이 되자 서울로 출근하는 사람들, 통학생, 행상 아주머니들로 붐비기 시작했다.

항아리를 머리에 인 아주머니들 틈에 끼여 도둑기차를 탔다. 기차가 서서히 속력을 높이기 시작하자 긴장과 두려움 속에서도 설렘과 기대로 가슴이 마구 방망이질했다. 항아리를 기차 바닥에 내려놓고 쪼그리고 앉은 아주머니들은 고추장을 손가락으로 찍어 맛을 보기도 하고 내다 팔 총각김치를 한 가닥씩 뜯어 서로 맛을 보아 주기도 했다. 어제부터 굶은 뱃속이 사납게 요동쳤다.

2시간 만에 기차가 서울역에 도착하자 모두들 우르르 몰려나가고 텅 빈 찻간에는 나만 남겨졌다. 갑자기 막막한 외로움과 두려움이 한꺼번에 몰려와 눈물이 쏟아질 것 같았다. 으앙 터지려는 울음을 억지로 참으며 사람들의 뒤를 좇아 대합실로 나왔다. 동서남북에서 사람들이 모여들고 다시 흩어졌지만, 나는 아는 사람도 없고 어디로 가야 할지도 모른 채 한참을 멍하니 사람들만 보고 서 있었다.

그러다 정신을 차리고 보니 내 처지와 비슷해 보이는 아이들이 여럿 보였다. 옹기종기 모여 앉아 공기놀이도 하고 제기도 찼다. 갑자기 퍼런 당꼬바지 유니폼에 긴 칼을 허리에 찬 일본 순사들이 나타났다. 아이들은 놀란 메뚜기떼처럼 이리 뛰고 저리 뛰어 달아났고, 순사들은 미처 도망치지 못한 아이들을 붙잡아 가죽 장화를 신은 발로 엉덩이를 걷어차고 몽둥이를 휘둘러 댔다. 너무 무서워 도망치듯 밖으로 나와 보니 역 앞 너른 광장에서는 땀에 전 베적삼을 입은 아주머니들이 좌판을 벌여 놓고 옥수수, 개피떡 등을 팔고 있었다. 그것들을 힐끗거리며 서성이다가 남대문 쪽으로 걸었다. 온갖 맛있는 냄새가 진동하는 좁은 시장 골목은 사람들로 붐비고 있었다. 남대문 먹자 거리였다.

"옜다, 어서 먹어라."

김이 모락모락 피어오르는 솥 앞을 떠나지 못하고 한참을 서 있으려니까 아주머니가 국수 한 그릇을 말아 내밀었다. 한눈에도 시골뜨기에 엄마 잃은 아이로 보여 불쌍했는지, 아니면 장사에 방해가 돼 비켜 달라는 것이었는지, 어쨌든 꼬박 하루 만에 콧물을 빠뜨려 가며 먹은 그 국수 맛은 60년이 지난 지금도 생생하다.

밤이 되자 천막들이 하나 둘 걷히고 가게문이 닫혔다. 북적이던 거리가 썰물 빠져나간 듯 썰렁해졌다. 그래도 낮 동안 낯익혀 둔 곳을 떠날 엄두가 나지 않았다. 골목 한귀퉁이에서 천막 자락을 끌어안고 벽에 기대어 이틀 동안 긴장하고 피곤했던 몸을 잠재웠다.

얼마나 잤을까. 깜짝 놀라 정신을 차려 보니 새벽 이슬에 온몸을 오들오들 떨고 있었다. 꼼짝도 못 하고 그대로 웅크린 채 해가 뜨기만을 기다렸다.

순대장수 아주머니 앞에 서 있으니 아주머니가 순대 꼭지를 잘라 밀쳐 주었다. 나는 순대가 어서어서 팔려 새 꼭지가 나오기만을 기다렸다. 다음에는 떡장수 아주머니 앞에 서 있자, 아주머니가 저리 비키라고 야단을 쳤다. 하지만 밤이 되자 아주머니는 좌판을 걷으며 남은 떡을 한 주먹 쥐여 주었다.

그날 새벽에 추웠던 것을 생각하며 낮에 봐 두었던 지하도로 내려갔더니 어느 틈에 몰려든 거지 아이들로 벌써 만원이었다. 한쪽 구석에 자리를 잡고 눕자 혼자가 아니라는 생각에 안도의 한숨이 나왔다. 이부자리는커녕 덮을 옷가지 하나 없이 찬 바닥에 누워 뒤척이는데 할머니의 모습이 떠올랐다.

'아차! 할머니가 날 찾으실 텐데.'

애타게 내 이름을 부르며 찾아다닐 할머니가 갑자기 보고 싶어 훌쩍이자 아이들이 쳐다봤다.

'저 아이들은 이미 눈물이 마른 걸까? 아니면 생각나는 사람이 하나도 없는 걸까?'

며칠이 지나자 이젠 제법 이력이 나서 아주머니들이 집어 주는 순대 꼭지나 팔다 남은 떡만 기다리지는 않았다. 길가에 쌓아 놓은 무를 슬쩍하기도 하고 손수레에 실린 오이를 쑥 빼서 먹기도 했다. 그러다가 마침 뒤돌아보던 오이장수 아저씨에게 들켜 눈에 불똥이 튀게 뺨을 맞기도 했다.

차츰 길거리 생활에 적응하면서 다른 아이들처럼 구걸을 하기도 했다. 순사의 발길질에 엉덩이를 걷어차이기도 했지만 잡힐 듯 안 잡혀 주며 순사를 놀려먹는 재미를 맛보기도 했다.

어쩌다 운이 좋은 날에는 기차표를 사고 남은 잔돈을 던져 주는 사람들을 만나기도 했다. 처음 돈을 손에 쥐었을 때는 마치 어른이라도 된 듯 너무나 기쁘고 신기해 당장 엿을 한 보따리 사 들고 당당하게 대골 마을로 돌아가고 싶었다. 하지만 이내 그 동안 군침만 삼키면서 눈요기로 만족해야 했던 개피떡과 옥수수를 사 들고 혼자 좋아서 어쩔 줄 몰라하곤 했다. 그럴 때면 구걸의 보람도 느꼈다.

그러나 서울역 근처에는 강도 시냇물도 없어 목욕은커녕 세수 한 번 제대로 할 수 없었다. 머리카락은 뻣뻣한 수세미가 되었고, 땟국물로 얼룩진 얼굴에 찢기고 더러운 옷을 입은 내 모습은 그야말로 거지꼴이었다.

구걸도 안 되고 남은 떡도 못 얻어먹은 날은 남대문 시장 쓰레기통을 뒤져서 버려진 음식이나 시골에 가면 사방에 널려 있을 시든 채소 이파리들로 연명하기도 했다.

그런 가운데도 나는 시골구석 대골 마을로 돌아갈 생각은 꿈에도 하지 않았다. 자존심인지 고집인지 모를 그 무엇이 나를 버티게 하고 있었던 것이다.

'그래, 좋다! 돈을 벌 테다! 그래서 엿장수가 되어 엿을 판째로 들고 가 동네 아이들에게 나눠 줄 테다.'

한겨울 서울역 앞에서

아침 저녁으로 찬바람이 불기 시작했다. 낮에는 덥지 않아 좋았지만 잠자리가 점점 더 불편해졌다.

추석이라고 시장 골목이 사람들로 홍청대고 온갖 과일과 알록달록한 새 옷들로 진열대가 넘쳤지만 나를 위한 것은 하나도 없지 않은가 그야말로 그림의 떡이었다.

서울에서 맞는 명절은 인심 후한 시골의 명절과는 너무 달랐다. 날씨까지 추워지자 사람들은 코트 주머니에 손을 넣은 채 종종걸음을 쳐 하루 종일 구걸을 해도 동전 한 닢 못 얻는 날이 허다했다. 갑자기 나타나는 순사들을 피해 도망치려 해도 종일 굶은데다 추위에 굳은 몸이 말을 듣지 않았다. 하나같이 작은 모자에 작은 안경을 쓰고 긴 칼로 한껏 폼을 잡은 순사들의 몽둥이 세례는 서울역 거지들의 몫이었다.

기운도 없고 신날 일도 없어 제기차기도 시들해지고 손은 얼어 터져서 공기놀이도 어려워 게을러지기까지 했다. 그래도 햇볕이 따사로운 한낮이면 광장에 삼삼오오 모여 앉아 제각기 옷을 벗어 들고 이 소탕전을 벌였다. 밤새 잠 못 자게 괴롭히던 녀석들이 탁탁 피를 튀기며 죽을 때는 정말 속이 다 시원하다가도 손톱에 붉게 물든 피가 아깝다는 생각이 들었다.

서울역 거지들은 하루하루 찾아드는 생존의 두려움 속에서 서로 의지하기 위해 어울려 다녔기에 남들의 눈에는 거지떼였고 나 역시 그 중 하나였다. 우리 거지들은 봄이 오기를 손꼽아 기다렸고, 봄이 되면 다시 닥칠 겨울을 두려워했다.

그때 만난 재원이는 나보다 한 살 위였는데, 낮에는 함께 동냥을 다니고 밤이면 서로의 몸을 난로삼아 끌어안고 자는 나의 단짝이었다. 나는 거지의 상징인 깡통 들기를 싫어하는 자존심 강한 거지였고, 재원이는 세상을 미워하고 사람들을 아니꼽게 보는 비뚤어진 거지였다.

어느 날 서울역 기찻길 철교 위에서 사람들이 웅성이며 아래를 내려다보는데 재원이가 보이지 않았다. 문득 이상한 예감이 들어 친구들과 달려가 보니 재원이는 이미 철교 위에서 달리는 기차로 뛰어들어 몸이 산산조각이 나 있었다.

나는 재원이의 조각난 몸을 만지며 통곡했다.

"이 비겁한 놈, 저 혼자만 죽으면 다야? 흑흑!!"

나는 슬프거나 무섭기보다 기가 막히고 어처구니가 없었다.

며칠 동안 먹지도 자지도 못하고 고민했다.

생을 포기한 재원이가 바보 같고 밉다는 생각이 들수록 나는 살고 싶었다. 거지 주제에 입맛을 잃고 잠 못 이루는 며칠 밤을 보냈다.

'산다는 게 뭘까? 재원이는 어디로 갔을까? 난 앞으로 어떻게 될까?'

끌어안고 잘 다른 친구를 구할 생각은 않고 배신감에 뒤척이다 혼자 물었다.

'왜 내겐 아무 말도 않고 혼자 갔니? 이 나쁜 자식!'

결국 금촌 할머니 집으로 돌아가기로 결심했다. 재원이가 떠난 겨울을 혼자서 날 자신이 없었다. 그보다 지난 겨울의 그 모진 추위와 배고픔이 너무 무서웠다.

대골 마을로 들어서자 샛강에는 벌써 얼음이 살짝 끼어 있었다. 엿을 한아름 안고 가는 것이 아니라 다 떨어진 옷에 그것도 맨발로 터덜터덜 걸었다. 왜 말없이 집을 나갔느냐고 야단맞을 일도 걱정이었지만 그보다는 '살아야 한다, 나는 살고 싶다'는 외침이 머릿속에 계속 맴돌고 있었다.

"어머님! 호범이가 왔어요. 어머님?"

외숙모가 나를 보고 소스라치게 놀라며 할머니를 불렀다.

"뭐야? 뭐 호범이? 호범이가 살아 왔어?"

"……."

"아이고, 이 자식아, 그래도 나 죽기 전에 돌아왔구나. 아이고, 아이고……."

허리가 더 꼬부라진 할머니는 나를 붙잡고 통곡했다. 나도 덩달아 울음보가 터졌다.

"어머니, 안으로 들어가세요. 호범이 너도 어서 들어가라. 걱정 많이 했다."

외숙모까지 반가워하는 것 같아 한결 마음이 놓였다.

그날 밤 내 손목을 놓지 않는 할머니 옆에 누워 달빛이 환한 창을 쳐다보며 재원이를 생각했다.

'그래, 나는 이렇게 돌아올 곳이 있는데 재원이는 돌아갈 곳이 없어서, 희망이 없어서 그랬던 거야…….'

끼니때면 주는 밥 먹고 따뜻한 이불 속에서 며칠을 뒹굴었다. 그런데 아버지가 찾아왔다. 꿈 속에서나 불러 본 아버지가 나를 데리러 내 눈앞에 나타난 것이다.

훗날 알게 된 일이지만 아버지는 어머니가 돌아가시자 나를 외할머니에게 맡기고 머슴살이를 갔고, 다시 멀리 일본으로 돈을 벌러 갔었단다. 서울로 온 아버지는 재혼도 하고 나를 찾아 외갓집에 몇 차례나 왔었다는데, 이번에는 할머니의 연락을 받고 나를 데리러 왔던 것이다.

아버지에게 손목을 붙잡혀 거의 끌려가다시피 간 곳은 영등포의 아버지 집이었다.

밥도 있고 이불도 있고 아버지에 어머니까지 있는 새 삶의 시작이었다. 그러나 아직 새색시인 새어머니는 망아지 같은 나와 단칸 셋방에서 살게 되어 불편한 것이 한둘이 아닐 터였다. 아버지가 일을 나가고 나면 마침 홍역까지 치르는 나를 두고 쩔쩔맸다.

나는 얌전한 새어머니가 어려웠고, 말없는 아버지 또한 무섭기만 했다.

겨울이 지나고 봄이 되자 아버지는 나를 학교에 보냈다. 그러나 떠돌이 생활에 익숙한 나는 하루 종일 책상 앞에 가만히 앉아 있으려니 좀이 쑤셔 죽을 지경이었다. 게다가 알아듣지 못하는 일본말 수업은 나를 더 미치게 만들었고, 공부도 못 하는데 나이까지 제일 많다는 게 나를 더 화나게 했다.

드디어 나는 몇 달 동안의 가정 생활과 학교 생활에 도장을 찍고, 금촌 할머니에게 간다며 집을 나와 서울역으로 향했다.

다시 거지로 돌아간 나는 정 견디기 힘들 때면 할머니에게 찾아가 할머니의 품에서 위안을 얻곤 했다. 갈 때마다 할머니는 똑같은 말을 했다.

"이 자식아, 영등포로 가거라. 아버지 곁으로 가서 살아."

하지만 영등포로 간다며 외갓집을 떠나는 것이 당연한 인사가 되어 갔고, 다시 서울역으로 향하기를 몇 번째…….

그날도 외할머니 집에서 뒹굴고 있는데 아버지가 들어섰다. 조금은 철이 들어 가고 있던 터라 군말 없이 아버지를 따라나섰다. 그러나 상황은 몇 년 전보다 더 나빠져 있었다. 단칸 셋방은 여전한데 동생들이 주렁주렁 늘어나 있었고, 새어머니는 예전보다 더 힘겨운 표정으로 허덕이고 있었다.

얼마 후 금촌에 간다며 다시 집을 나섰다. 서울역으로 가는 나의 마음은 무거웠지만 발걸음만은 가벼웠다.

알쥐 요리

서울 쥐를 부러워한 시골 쥐가 서울에 갔다가 굶고 시골로 돌아 왔듯이, 인심사나운 서울에서 며칠을 굶다 못해 시골로 가는 길이었다. 수색 근처에서 잔칫집 앞을 지나게 되었다. 대문을 굳게 닫아 걸고 초대한 손님만 들이는 서울 잔치와는 달리 아무나 반기는 눈치였다. 나도 슬그머니 끼여들어 한 자리 차지하고 앉아 국수에 떡에 부침개에 주는 대로 막걸리까지 얻어먹고 일어서는데 눈앞이 핑 돌아 그만 다시 주저앉고 말았다.

농민들이 풀죽으로 보릿고개를 넘는 동안 그나마 풀죽도 못 먹는 우리 거지들은 소나무 껍질을 벗겨 먹고 진달래, 아카시아 꽃을 따 먹으며 연명해야 했다. 그러다가 묘지 앞에 놓고 간 제사 음식을 만난다. 하늘이 내린 음식인가! 두부에 북어에 과일에…… 있는 대로 주워 먹고 행복에 젖는다. 그러나 여름이면 그나마 음식이 쉬어 있을 때가 많아 배탈이 나서 허기보다 더한 고생을 하는 일도 있었다.

하지만 하나님은 논에는 미꾸라지를, 강에는 붕어를 살게 하셔서 그놈들을 잡아다 깡통에 넣고 얻어 온 고추장을 풀어 끓여 먹었다. 감자를 수확할 때가 되면 미처 다 못 캔 감자를 주워다 재 속에 넣어 구워 먹고, 콩을 딸 때가 되면 거두어 가고 흘린 콩 가지를 갖다가 불에 구워 먹고 신이 났다.

삼복 더위에 논두렁 밭두렁에 널리고 널린 개구리는 우리의 보신 음식이었다. 다리 사이를 손가락으로 가만히 눌러 배를 터뜨린 후 다리를 뜯어 구워 먹으면 갈비나 닭다리가 부럽지 않았다. 개구리뿐 아니라 기어다니는 것은 뱀이든 쥐든 모두 잡아다 구웠다.

가을이면 먹을 것이 산과 들에 지천이었다. 머루를 따 먹고 밤을 주워 먹고 밭에서는 배추뿌리, 무, 고구마를 캐 먹었다. 또한 떨어진 사과나 감 따위도 주워 먹었다. 메뚜기를 긴 풀줄기에 끼워 노랗게 구워 코에서 냄새가 날 때까지 먹고 나면 콧노래가 절로 나왔다. 어쩌다 타작마당이라도 만나면 지나던 나그네도 거지도 뜨거운 밥에 국까지 얻어먹는 호사를 누리기도 했다.

짧기만 한 가을은 금방 지나고 개구리도 메뚜기도 다 자취를 감춘 겨울이 오면 텅 빈 논과 밭에는 찬 눈만 쌓였다. 아직 어린애라 산 속의 노루도 토끼도 잡을 수 없으니 어찌하랴! 할 수 없이 집집마다 대문을 두드려 보지만 안주인 얼굴만 봐도 알 수 있었다. 찬밥인지 더운밥인지, 아니면 꿀밤을 먹일지 볼기를 칠지……

그 시절의 경험 덕분에 훗날 선거운동을 할 때 문을 열어 주는 사람의 표정만 봐도 대답을 알 수 있었다.

어쨌든 거지들에게 겨울은 죽음 같은 혹독한 시련이 아닐 수 없었다. 그러나 구하는 자가 얻고 두드리는 자에게 열린다더니, 초가지붕 구멍 속에서 참새를 꺼내고 쌓아 놓은 볏단 속에서 바로 그놈을 꺼냈다. 들떠 있는 볏단 속에 슬며시 손을 넣으면 곧 말랑말랑한 감촉이 손끝에 와 닿았다. 손에 쥐어진 것은 아직 털도 안 난 쥐새끼였다. 어미 쥐에게는 미안한 노릇이지만 깡통에 기름을 붓고 끓여 그놈을 넣어 튀기면 고소한 냄새에 군침이 꿀꺽 넘어갔다.

이렇듯 온갖 맛있는(?) 음식은 다 먹었고 먹을 수 있는 것은 다 먹는 법을 일찍이 터득한 나는 세계 어느 나라 음식이든지 하나님이 우리에게 허락하신 것은 가리지 않고 먹을 수 있었고, 무엇보다 함부로 버리거나 투정하는 법 없이 귀하고 감사한 마음으로 음식을 대하는 습성을 갖게 되었다.

무덤 위의 잠자리

거지를 좋게 말하자면 노숙자, 집 없는 사람이다. 집이란 가족들과 함께 쉴 수 있고 잠잘 수 있는 공간인데 집이 없다면 가족도 쉴 곳도 잠잘 곳도 없다는 것이니 그런 삶을 어찌 인간의 삶이라 하겠는가. 쉰다는 호강스런 단어는 접어 놓더라도, 잠이란 것은 사람뿐 아니라 하다못해 짐승이나 식물일지라도 꼭 자야 한다니 생의 기본 원칙이랄 수밖에 없다. 생의 3분의 1은 잠을 자며 살아야 하기에 좋은 옷은 못 입어도 따뜻하고 가벼운 이불은 있어야 하고, 좋은 집은 못 사도 편하고 몸에 좋은 침대는 사야 한다고들 말한다.

화려한 집, 비싼 이불 속에서 잠 못 이루는 현대인들이 스트레스 없는 거지들을 부러워한다는데 그렇다고 거지가 되고자 하는 사람이 어디 있겠는가.

여섯 살 때 외할머니 집을 나온 그날부터 매일 걱정과 숙제로 찾아드는 것은 '오늘밤은 또 어디서 자야 하나?' 하는 것이었다. 낮잠이나 늦잠은 내 사전에 있을 수 없는 단어이고, 그날 그날 눈과 비, 순사와 짐승을 피할 수 있다면 다행일 뿐이었다.

여름밤 풀밭을 요삼아 누워 별을 센다면 꽤나 낭만적일 것 같지만 풀숲의 모기들이 별이나 세도록 놓아 두지 않았다. 또 새벽에 내리는 이슬은 한여름이라도 추위에 떨게 했다. 지하도나 역 대합실에 자리를 잡으면 느닷없이 나타나는 순사들의 몽둥이 세례에 잠시도 마음을 놓을 수가 없었다.

순사들이 판치는 인심사나운 서울을 피해 시골로 갔다가 비라도 만나면 그야말로 낭패였다. 닭장이나 외양간이라도 찾아들면 냄새는 둘째 문제고 닭벼룩과 쇠파리가 사람 피맛 좀 보겠다고 목숨 걸고 달려들었다. 소는 점잖아 눈만 껌벅일 뿐 무단 침입자를 들이받거나 발로 차지도 않는데, 닭들은 마구 쪼아 대며 텃세를 부려 견딜 재간이 없었다.

장마철에는 항상 젖은 몸으로 지내야 했기 때문에 몸은 병들고 마음대로 돌아다닐 수도 없어서 기분까지 침울해져 정말 죽을 지경이었다.

그러나 우리 거지들을 더 절박하게 만드는 것은 눈 내리는 겨울이었다. 견디기 힘든 엄동설한에 대합실이나 지하도에서 쫓겨나 버스 정류장 구석이나 남의 집 처마 밑에서 한뎃잠을 자게 되면 얼어 죽는 일도 허다했다.

그래도 인심 후한 시골에서는 마루나 부엌 또는 머슴방을 선뜻 내주기도 했다. 집주인 식구들의 도란거리는 말소리를 들으며 부러운 마음에 잠을 설치는 날도 있었다. 부엌 짚단 속에서 부뚜막의 온기에 의지해 잠을 청하다 말고 일어나 동치미를 훔쳐 먹기도 했다. 어린 나를 불쌍히 여긴 머슴들이 머슴방 한귀퉁이를 내준 다음 날이면, 고마운 내 마음과는 달리 내 몸에서 살던 벼룩과 이가 저 혼자 남아서 그들의 은혜를 원수로 갚기도 했다.

가장 괴로운 것은 밤마다 나를 엄습하는 두려움이었다.

나쁜 사람, 사나운 짐승, 아니면 귀신……. 뭔지 알 수 없는 것에 대한 두려움에 밤마다 온몸을 잔뜩 웅크리고 떨던 어느 날이었다. 대골 마을에서 유일한 기와집이었던 향교에서 얻어들은 이야기가 생각났다. 술안주를 얻어먹으려고 찾아갔다가 들은 말이었다.

"무섬증이 들 때는 무덤에 가서 자면 귀신이 보호해 준다네."

"에이, 그럴 리가 있어?"

"정말이라니까 그러네?"

"나도 그런 말을 들은 적이 있지."

"그래?"

"짐승들이 덤비지 못하는 건 말할 것도 없고, 담력이 없는 사람은 담력도 생긴다던데?"

미아리를 지나다가 공동묘지를 찾아갔다. 무덤 앞 푹신한 잔디 위에 누웠더니 몸만 편한 것이 아니라 뜻밖의 평온함이 밀려왔다.

'정말로 귀신들이 날 지켜 주는 걸까?'

그때 이후로 나는 편안한 잠이 필요할 때면 무덤을 찾아갔다. 남들은 대낮에도 묘지 앞을 지나면 으스스해진다는데 말이다.

이 경험으로 나는 인간에게 왜 신앙이 필요한지 깨닫게 되었고,

훗날 공동묘지에서의 청혼이라는 색다른 추억을 만들 아이디어와 용기도 갖게 되었다.

공부 도둑놈

추운 겨울에는 봄을 기다리고, 비가 오면 날이 개기를 기다렸다. 배가 고플 때는 먹을 것을 찾고 밤이 되면 잠자리를 찾듯이, 기다리면 오고 찾으면 얻는 것이 있으나 세상 사는 데는 기다리거나 찾아도 해결할 수 없는 일이 많다는 것을 점차 철이 들며 깨닫게 되었다.

언제부터인가 책가방이나 책보를 메고 학교에 가는 학생들이 한없이 부러웠다. 보살펴 주는 부모가 있고 깨끗한 옷을 입어서가 아니라 그들은 공부를 할 수 있기 때문이었다.

학교가 끝나고 삼삼오오 집으로 돌아가는 학생들을 멍하니 바라보고 있노라면, "야! 이 거지야! 기분 나쁘게 왜 쳐다봐? 저리 가!" 하며 돌을 던지기도 하고 여럿이 함께 몰려와 몰매를 안기고 가기도 했다. 실컷 얻어맞고 혼자 구석에 숨어 살펴보면 여기저기 멍이 들고 나무필통에 맞은 머리통이 부어올라 있기도 했다. 그러나 정말로 아픈 것은 매맞은 자리가 아니었다. 남들처럼 학교에도 못 가는 내 신세가 내 마음을 한없이 아프게 했다.

어느 해 겨울, 시골 초등학교 주위를 빙빙 돌다가 몰래 교실을 들여다보니 학생들이 줄지어 앉아서 선생님을 따라 책을 읽기도 하고 쓰기도 하고 있었다.

"바둑아! 이리 와 나하고 놀자!"

"바둑아! 이리 와 나하고 놀자!"

창 밖에 선 채 용기를 내서 미리 준비한 종이에 옮겨 쓰고 있는데 갑자기 눈앞에 순경이 나타났다.

"야! 너 임마! 거기서 뭐 하는 거야?"

너무 놀라서 무조건 도망치기 시작했다.

"야! 거기 서! 서라니까!"

"네 이놈, 너 오늘 잡히기만 해 봐라!"

죽을 힘을 다해 뛰었지만 얼음판에 미끄러져 넘어지고 말았다. 화가 잔뜩 난 순경은 내 얼어붙은 뺨에 따귀를 올려붙였다.

"너 뭐 훔쳤지?"

"아니에요. 아무것도 안 훔쳤어요."

"거짓말 마!"

"정말이에요, 아저씨."

"그럼 그거 이리 내 봐!"

"안 돼요!"

내 손에서 종이를 빼앗아 든 순경은 잠시 나를 물끄러미 바라보더니 곧 누그러진 얼굴로 뜻밖의 말을 건넸다.

"너 배는 안 고프냐?"

그는 우느라고 대답도 못 하는 내 손목을 잡아끌며 빠르게 걸었고 얼떨결에 따라 들어간 곳은 장터 옆 국수집이었다. 금방 노란 지단이 얹힌 뜨거운 국수가 한 그릇 나왔다.

"춥지? 식기 전에 어서 먹어라."

'아저씨는 안 드세요?' 하고 묻고 싶었지만 차마 입이 떨어지지 않았다.

글을 못 읽는 것이 답답해진 나는 거리의 간판을 보며 한자 한자 외우기 시작했다. 시장 골목이나 길바닥에 나뒹구는 신문지 조각을 주워 들고 깡패 형님들에게 물어 가며 한글을 겨우겨우 깨치게 되었다.

따귀를 맞아 가며 한글을 익힌 덕분에 하우스보이 시절 폴 대위가 준 성경을 뜻은 잘 모르면서도 읽었다. 또 그 때문에 미국에서는 영한사전을 봐 가면서 검정고시를 준비할 수 있었다.

책가방을 들어 보는 것이 소원이었던 나는 결국 평생 책가방을 들고 다니는 직업을 갖게 되었다.

찢어진 음악가의 꿈

나는 꿈을 꾸는 것을 좋아한다.

꿈 속에서만큼은 먹고 싶은 것을 내 맘대로 먹을 수 있고, 어디든 가고 싶은 곳에 갈 수 있으며, 하고 싶은 것을 하고, 가지고 싶은 것도 가지며, 되고 싶은 것까지도 될 수 있었기 때문이다.

주린 배를 움켜쥐고 잠을 청할 때는 바글바글 끓는 비지찌개를 먹는 꿈을 꾸었다. 또 추위에 떨며 잠이 들 때는 뜨거운 부뚜막에 올라앉은 꿈을 꾸기도 했다. 물론 아무리 애를 써도 눈앞의 떡을 잡을 수 없기도 했고, 있는 힘을 다해 흔들어도 가지 끝에 매달린 능금이 끄떡도 하지 않을 때도 있었다.

그러나 도둑기차를 타고 마음을 졸이지 않아도, 발바닥이 부르트도록 걸을 필요 없이 할머니 품으로 달려가 안길 수도 있으니 말이다. 휘파람을 불며 자전거를 타는 일…… 이 모든 것들이 내게는 꿈 속에서나 가능한 일들이었다. 구두 신고 시계 찬 중학생이 되기도 하고, 선생님이 되어 아이들을 가르치기도 하니 꿈처럼 고마운 것이 또 있을까.

나는 점차 나이가 들면서 꿈 속의 일들을 현실로 옮겨 보고 싶은 충동이 일기 시작했다.

한겨울 추위로 한강이 얼어붙자 사람들이 스케이트를 메고 모여들기 시작했다.

'지금쯤 금촌 샛강도 얼었겠지? 아이들은 썰매를 타느라 신들이 났을 거야.'

설날이면 아이들이 설빔으로 얻은 색동 저고리를 입고 나와 썰매를 타곤 했다. '나는 왜 설빔이 없는 걸까? 저 아이들과 나는 뭐가 다른 거지?' 하며 속상해했던 기억이 새삼 떠올랐다.

아버지의 손을 잡고 비틀거리며 스케이트를 타는 아이들이 부러워 눈을 뗄 수가 없었다.

신발주머니와 손전등을 챙겨 놓고 밤이 되기를 기다려 선배 거지들이 알려 준 일본군 무기 창고로 갔다. 전쟁이 끝나고 철수하던 일본군들이 가지고 갈 수 없는 무기들을 모아 철망을 치고 쌓아 놓은 곳이었다. 해방의 기쁨은 우리 서울역 거지들에게도 찾아와 대합실에서 늘어지게 잘 수도 있었고, 거리를 마음껏 활보할 수도 있었다. 대한민국 경찰이 생겼다지만 빨갱이 잡기에도 바빠 우리까지 단속할 여력이 없었기 때문이다.

조마조마한 심정으로 철망 밑으로 기어들어가 손전등으로 비추니 제법 값이 나갈 것 같은 나사나 전구들이 보였다. 잡히는 대로 신발주머니에 쑤셔 넣고 그곳을 빠져나와 날이 밝기를 기다렸다가 고물상에 넘겨 주고 대신 스케이트 날을 받아 들었다.

비싸서 엄두도 못 내는 구두 대신 나무 판자에 발을 대고 본을 뜬 다음 톱으로 오렸다. 스케이트 날을 박은 다음 양 옆에 작은 못을 몇 개 박아서 노끈을 건 후 발을 얹고 끈을 조였더니 영락없는 스케이트였다.

나는 하늘을 나는 듯한 기분으로 그 동안 눈동냥으로 익힌 대로 미끄러지듯 얼음을 지쳤다. 드디어 꿈에서나 가능할 것 같았던 스케이터가 된 것이다. 신이 나서 얼음판을 가르고 있는데 구경하던 사람들이 손가락질을 하며 웃어 댔다.

그러나 그 꿈은 10분짜리 꿈이었다. 노끈으로 조인 발이 너무 아파서 10분 이상은 도저히 탈 수 없었기 때문이다. 10분마다 한 번씩 쉬어야 했지만, 그해 겨울 나는 누구보다 행복한 거지였다.

다시 밤마다 철조망 밑을 기어다니며 돈을 모아 이번에는 낡은 손풍금(아코디언)을 샀다. 양 손에 끼고 벌렸다 오므렸다 할 때마다 울려나오는 소리는 어떻게 아름답다고 할 수도 없을 만큼 황홀한 것이었다. 며칠 동안 밤낮없이 소리를 내 보며 혼자 벙글벙글 웃고 다녔다. 배가 고파도 좋았고, 걸을 때도 잠을 잘 때도 손풍금만 안고 있으면 마치 세상이라도 품은 듯 뿌듯했다. 거리에서 주워들은 멜로디를 흉내내 보며 꿈 속에서조차 엄두도 낼 수 없었던 음악가라도 된 양 행복해했다.

어느 날 오후였다. 집으로 돌아가던 중학생들이 손풍금을 안고 싱글거리는 나를 보더니 갑자기 달려들었다.

"우와! 웬 손풍금이야?"

"내 거야! 내가 산 거야! 이리 돌려줘!"

"이거 재밌는데!"

"나도 한번 켜 보자. 이리 줘 봐!"

"제발 돌려줘! 돌려달라니까!"

"야! 거지 주제에 무슨 손풍금이야! 너한테는 안 어울린다. 안 어울려!"

"와, 하하하."

"야! 이리 던져라. 던져."

"안 돼! 망가진단 말야!"

"그래? 어디 한번 해 볼까?"

그들에게 달려들어 옷이라도 잡고 늘어지려 했지만 오히려 나를 밀치고 때렸다. 그러고는 이애 저애 돌아가며 손풍금을 켜 보더니 금세 싫증이 났는지 바닥에 내던지고 돌아가며 밟았다.

"제발, 제발 망가뜨리지 말아 줘."

울며 매달리는 나를 걷어찬 그들은 이미 부서진 손풍금을 아예 발기발기 찢어 버리고 말았다.

그토록 날 행복하게 만들었던 손풍금이었건만 몇날이 지나도록 나는 손풍금을 다시 살 생각을 하지 못했다. 아니 오랜 세월이 지나도록 말이다. 손풍금이야 다시 살 수 있지만 한번 찢어진 꿈은 다시 꿀 수가 없었기 때문이다. 또 울부짖으며 말리던 내 앞에서 보아란 듯이 손풍금을 부숴 버린 그들에 대한 미움보다도 더 내 가슴을 오

래도록 쥐어뜯었던 것은 바로 나 자신의 무능함이었다. 스스로 지켜 낼 수 없었던 꿈이기에 갈갈이 찢겨 버린 것이다.

머슴의 풋사랑

잘 살아도 큰소리 한번 치지 못하고, 못 살아도 불평 한마디 할 수 없었던 일본의 압제에서 벗어났다. 사람들은 너나없이 생기에 찬 표정으로 부지런히 거리를 오갔다. 덩달아 들뜬 마음으로 몇 달을 보냈지만 해방 세상이라고 해서 거지의 춥고 배고픈 겨울이 달라질 리는 없었다.

동상에 걸린 손가락 발가락이 가렵고 아프다 못해 떨어져 나가도 모를 만큼 감각이 없어지곤 했다. 몸뚱이 그 자체가 감당하기 힘든 큰 짐이고 걱정거리였다.

겨울이 어서 빨리 가기만을 기다리던 늦겨울의 어느 날이었다. 짧은 해가 다 넘어가기 전에 허기진 배를 채우려고 제법 번듯해 보이는 집의 대문을 두드렸다. 주인인 듯한 아저씨가 나오더니 다른 데로 가라든지 하인을 불러 찬밥 한 덩이 내주라든지 하지 않고 나를 뚫어져라 쳐다보고만 있었다. 은근히 조바심을 내며 기다리고 섰는데 그는 대뜸 엉뚱한 말을 던졌다.

"너 잘생겼구나!"

"네?"

"똑똑하게 생긴 놈이 왜 남의 집에 구걸하고 다니느냐고!"

"갈 데가 없는걸요."

"너 여기서 일해라. 그럼 먹여 주고 재워 주마."

"네? 정말요? 감사합니다."

이제껏 눈만 뜨면 '오늘은 무얼 먹나', 해만 지면 '오늘밤은 어디서 자나' 하는 게 고민이었는데 갑자기 먹고 잘 일이 해결되니 큰 횡재라도 만난 듯 믿기지가 않았다.

자작농에 방앗간을 갖고 있던 박씨 아저씨 집에는 주인 아주머니와 딸, 머슴 부부와 총각 머슴 그리고 소 두 마리가 있었다.

머슴방에서 서먹서먹한 하룻밤을 보내고 아침 일찍 일어나 쇠죽을 끓여 외양간에 갖다 주고 왔더니 내게도 밥상을 내주었다. 금방 퍼담은 듯 김이 모락모락 오르는 수북한 보리밥 한 그릇과 뜨거운 콩나물국이 앞에 놓였다. 감격과 설렘으로 입천장이 데는 줄도 모르고 순식간에 후딱 먹어 치우고 서둘러 외양간으로 가 청소한 후 잔심부름을 하다가 점심을 먹었다. 오후에는 소 여물을 썰어 놓고 저녁까지 먹고는 밤늦도록 새끼를 꼬는 머슴들 옆에서 심부름을 하다가 잠자리에 들었다.

무겁고 뻣뻣한 가마니와는 달리 솜이불은 가볍기만 한데도 온몸을 포근하게 감싸 주어 바람 한 점 들어오지 않았다. 하루 종일 일을 한 노곤한 몸에 따뜻한 밥까지 먹고 구름 같은 솜이불을 덮고 누우니 임금이 부럽지 않을 정도였다. 일하며 산다는 것이 하루하루를 이렇게 살맛나게 해 준다는 것을 그 동안은 왜 몰랐을까 안타까운 마음마저 들었다. 또 남의 동정심에 기대지 않고 내가 일해서 당당하게 얻은 따뜻한 밥과 편안한 잠자리라고 생각하니 나 자신이 그렇게 대견할 수가 없었다. 그러나 처음 해 보는 일에 지친 몸은 뿌듯한 만족감을 오래오래 음미하고픈 내 바람을 무시하고 말았다.

봄이 되어 소를 끌고 들로 나가면 아지랑이가 나를 반기고 길가의 들풀도 내게 희망을 속삭여 주었다. 들꽃이 피어난 논두렁이나 들판에 앉아 멋스럽게 구부러진 소나무와 어우러진 뭉게구름을 바라보곤 했다. 주먹밥 한 덩어리 꺼내 먹고 팔을 베고 누우면 콧노래가 절로 나왔다. 개울에 들어가 소를 씻기는 일은 일이 아니라 바로 물놀이였다.

"일 잘 하는구나."

가끔씩 주인 아저씨의 칭찬을 들을 때면 세상에서 내가 제일 행복한 것 같은 착각마저 들었고, 이제껏 구박이나 천대 속에서 살던 일이 먼 옛날의 일 같았다.

싹싹하게 심부름도 잘 하고 부지런한 나를 머슴들은 친동생처럼 귀여워해 주었다. 나를 내켜하지 않던 주인 아주머니와도 조금씩 편안한 사이가 되어 가는데 가끔씩 마주치는 내 또래의 주인집 딸과는 눈이 마주칠까 겁이 나 피하곤 했다.

중학생인 단발머리의 주인집 딸은 내 눈에는 동네에서 제일 예뻐 보였고 유일하게 구두를 신고 다녔다. 방에서 공부만 하는 것이 지겨웠는지 종종 들로 나왔다가 나를 보면 스스럼없이 다가왔다. 옆에 앉아 책도 보고, 베어 놓은 풀더미를 지게에 올려 주기도 하고, 돌아오는 길에는 소를 끌고 내 뒤를 따라오기도 했다.

그녀의 희디흰 얼굴이 햇볕에 그을릴까 조바심이 나고 치마에 풀물이라도 들면 어쩌나 걱정도 됐지만 어쩐 일인지 그녀가 곁에 있으면 외롭지 않았다. 또 공연히 가슴이 두근거리는 것도 왠지 싫지 않았다.

슬그머니 집을 빠져나간 딸이 머슴과 함께, 그것도 소를 끌고 나타나자 식구들은 놀라는 눈치였고 주인 아주머니의 눈빛이 곱지 않았다.

"우리 엄마는 너를 못 만나게 해! 엄마가 알면 혼나겠지만 그래도 할 수 없어!"

"다 아가씨를 위해서 그러시는 거죠."

"네가 몰라서 그래. 방에만 틀어박혀 있으면 얼마나 답답한데. 난 이렇게 너랑 있는 게 좋아."

따라오지 말라고 말리지도 못하고 양쪽 눈치만 보다가 결국 일이 터지고 말았다.

"너 이놈! 머슴 주제에 감히 내 딸과 어울리려 들다니. 당장 나가라, 이놈! 다시는 이 동네엔 얼씬도 하지 마라!"

날벼락에 복장 터지는 억울한 소리였지만 뭐라고 변명도 못 했다. 주인 아저씨도 더는 말릴 수 없었는지 우물쭈물 서 있는 내 손에 지폐 몇 장을 쥐여 주었다.

"이 집에는 더 이상 네가 할 일이 없다. 어디를 가든지 열심히 살아라."

잠깐 동안이었지만 정들었던 머슴들에게 인사도 못 한 채, 안타까워하는 아저씨를 뒤로하고 돌아섰다. 아쉬운 마음에 마을길을 다 빠져나올 때까지 몇 번이고 돌아보았지만, 주인집 딸의 예쁜 모습은 끝내 볼 수 없었다.

일하는 기쁨과 보람을 알게 된 나는 이웃 마을에 들어서자마자 망설이지 않고 제일 커 보이는 집을 찾아가 문을 두드렸다.

"저…… 이 집에서 일하고 싶은데요."

장남의 고단한 피란살이

"이러다간 난리 한번 나고 말지!"

"난리가 날 거래."

흉흉한 소문이 나돌더니 정말 전쟁이 터지고 말았다.

열다섯, 어느덧 철이 들어 가는 나이였던 나는 앞뒤 생각할 겨를 없이 금촌으로 가는 기차에 올랐다. 외할머니가 걱정되었고 무엇보다 할머니를 다시는 못 만나게 될까 봐 겁이 더럭 났던 것이다. 남들은 다 남쪽으로 가는데 나는 거꾸로 북으로 갔다.

전쟁이 터진 그 밤에 갑자기 나타난 나를 본 외할머니는 반가워하는 대신 화들짝 놀랐다.

"아이고, 이것아, 피란을 가야지 어쩌자고 이리 왔어?"

다음 날 이른 새벽, 할머니는 곤히 잠든 나를 흔들어 깨웠다.

"어서 일어나라. 어서 네 아비 찾아서 함께 피란 가야 해!"

"할머니, 저 여기 그냥 있을래요."

"안 돼! 이놈아."

"안 갈래요."

"아이고, 이 철없는 것아, 여기 있다가 젊은 놈이 빨갱이들한테 잡히면 큰일난단 말이다."

"할머니……."

"그래, 이 도시락 들고 어여 가, 어여……."

대포 소리에 쫓기듯 달리는 기차의 창 밖을 내다보니 미국 비행기들이 북쪽으로 날아가고 있었다. 모두들 잔뜩 긴장한 표정으로 말없이 비행기의 꽁무니만 바라보고 있었다. 걱정했던 대로 기차는 서울역까지 가지 못하고 신촌역에서 멈췄다. 사람들은 불평 한마디 못 하고 종종걸음을 치며 흩어졌다. 나는 조금 망설이다가 한강 쪽으로 걸었다. 아버지를 찾아가든지 남쪽으로 피란을 가든지 어차피 한강은 건너야 했기 때문이다. 배에서는 연신 꼬르륵꼬르륵 신호가 왔다. 그러나 꽁보리밥과 고추장이 담겼을 도시락을 풀 엄두도 내지 못하고 인파에 떠밀려 정신없이 걸었다.

한강 다리를 건너는데 뒤에서 헌병과 군인들이 "뛰어요! 뛰어!" 소리를 질러 대는 통에 영문도 모른 채 너도나도 뛰다시피 그 긴 다리를 건넜다.

기억을 더듬어 간신히 아버지의 집을 찾았다. 식구들 모두 피란 준비에 부산했다.

"저, 저 왔습니다……."

"아니, 너 호범이 아니냐!"

"……."

"아이쿠, 이 자식아, 잘 왔다. 잘 왔어."

할아버지는 내 손을 잡아당겨 쓰다듬으며 반가워했다. 새어머니는 내가 제 발로 걸어 들어온 것에 우선 놀라는 듯했고, 아버지는 은근히 고마워하는 것 같았다.

자정이 얼마나 지났을까? 갑자기 천지를 요동케 하는 굉음과 함께 한강 다리가 폭파되었다고 야단이었다. 눈치를 보며 망설이던 사람들도 그제야 보통 일이 아님을 깨닫고 피란 보따리를 싸느라 서둘러 댔다.

나도 몇 시간만 늦었더라면 한강을 못 건넜거나 물귀신이 됐을 거라고 생각하니 온몸에 소름이 돋았다.

밤새 피란 준비를 끝낸 식구들은 이른 아침 길을 나섰다. 그런데 새벽까지 아무 말이 없던 할아버지가 갑자기 피란을 가지 않겠다고 선언했다.

"아버님!"

"내가 가면 너희들한테 짐만 된다. 살 만큼 산 내가 뭐가 두렵겠냐. 그러니 내 걱정일랑 말고 어서 떠나거라."

"함께 가요, 할아버지."

"아니다. 젊은 늬들이나 어서 가라. 어서."

"아버님!"

"괜찮다. 난 안 간다."

"할아버지……."

'나 같으면 할아버지를 업고라도 갈 텐데…….'

그러나 마음뿐, 아버지는 커다란 이불 보따리를 지고 있었고 동생을 업은 새어머니는 머리에 보따리까지 이고 있었다. 아껴 두었던 꽁보리밥에 고추장 담긴 도시락을 할아버지에게 드리고 돌아서는데 눈물이 앞을 가렸다.

나도 동생을 업고 한 손에는 짐보따리까지 들고 가야 하는 고달픈 피란길이었다. 업힌 동생이 잠이라도 들면 한없이 늘어져 버려 주저앉고만 싶었다. 그러나 한편으로는 생사를 장담할 수 없는 난리통에 그래도 가족과 함께 있으니 마음이 놓였다.

남으로 남으로 하루 종일 걸어 수원에 도착하자 집들이 다 비어 있었다. 아무 집에나 들어가 뒤주에서 쌀을 퍼내고 고추장, 된장을 퍼다 놓고 밥을 먹으려니 미안하고도 고마웠다. 난리통에는 어제까지 내 것이었던 모든 것들을 버려야 하고, 네것 내것이 따로 없었다.

다음 날 평택에 도착했을 때는 집집마다 피란민들로 꽉 차 있어 닭장 신세를 질 수밖에 없었다. 내게는 예삿일이었지만 식구들은 하루 종일 걸어 피곤하고 지쳐 있었는데도 잠을 설쳤다. 동생들은 밤새 울어 댔고 새벽녘에는 추워서 오들오들 떨어야 했다.

다시 걸어 평택강을 건너려는데 시체가 통나무처럼 떠내려오고 기슭에는 시체들이 즐비했다. 생명이 빠져나간 인간은 나무토막과 다를 바가 없어 보였다.

인민군의 진로를 막으려고 강둑에는 UN군이 주둔해 있었다.

그날 밤, 그 일대는 난데없는 여자들의 울음소리와 비명이 적막을 깨고 동네 어른들의 한탄에 땅이 꺼졌다.

"에이, 버러지 같은 놈들!"

"저 몹쓸 놈들, 저러다 동네 처녀들 다 망쳐 놓고 말겠어!"

"으이구, 순 쌍놈들 같으니라고!"

"남의 나라 돕는다고 와서 도대체 무슨 짓들인지, 나 원 참!"

"그러게. 차라리 인민군이 더 낫겠네!"

결국 평택에서 인민군을 만난 우리는 더 피란 갈 이유가 없어졌다. 인민군이 우리보다 앞서가고 있었기 때문이다. 인민군을 피해 예산 바닷가에서 가까운 수촌리를 찾아갔다. 그곳은 아직 전쟁 소식을 모르는 듯 마냥 평화로워 보였다. 논밭에는 곡식이 익어 가고 강에는 붕어가 한가롭게 노닐고 있었다.

우리 식구는 빈 집을 찾아 짐을 풀고 숨을 돌렸다. 이튿날부터 부모님은 동네 농사일을 돕고 나는 집안일을 거들었다. 그러나 얼마 지나지 않아 그 마을에도 인민군이 들어왔다. 그들은 마을 사람들을 모아 놓고 공산주의를 가르치고 노래도 가르쳤다. 또 반동으로 몰린 사람들을 동네 사람들과 가족이 보는 앞에서 잔인하게 죽여 순식간에 온 동네가 공포에 질려 숨도 크게 못 쉬었다.

결국 어디나 공산당 세상이 된 마당에 더 이상 이곳에 있을 이유가 없다고 생각한 아버지는 영등포로 돌아가기로 결정했다. 두고 온 할아버지 걱정에 잠시도 마음을 놓을 수가 없었기 때문이다.

어린 동생들에 비하면 어른이었던 나는 동생들을 돌보고 강이나 밭에서 먹을 것을 구하는 일, 땔감을 구해 불을 피우는 일 등을 도맡아야 했다.

부모님을 모시고 동생들을 거두는 장남의 역할을 일찍 터득한 나는 미국 생활이 몸에 배어 여러 가지 이해가 안 되는 일이 있을 때 피란길을 생각하며 마음을 다시 고쳐먹는다.

마음을 졸이며 돌아와 보니 할아버지는 다행히도 살아 계셨다. 그러나 기력이 쇠약해진 것이 역력했다.

그때 이후 나는 할아버지를 다시 만나지 못했고, 몇 달이 못 가서 돌아가셨다.

"너는 꼭 잘 살아야 한다."

지금도 그 말씀이 귓가에 쟁쟁하다.

구드 모닝가 싸!

9월 27일, 내가 열다섯 살이 되는 생일날이었다.

맥아더 장군의 인천 상륙 작전으로 서울을 포기하고 철수하는 인민군들은 커 보이는 건물에는 모조리 불을 질렀다. 한강 둑에 서서 강북의 시내가 온통 불바다를 이루는 것을 보면서 놀랍기도 하고 이게 세상 끝인가 싶어 두렵기도 했다.

인천에 상륙한 미군 트럭들이 끊어진 다리 대신 임시로 만든 고무다리를 건너 용산 미8군 본부로 가기 위해 영등포 제2한강교 앞에 줄지어 서 있었다. 사람들은 너도나도 코 큰 서양 군인들을 구경하러 몰려나왔다. 갈 데 없고 할 일 없는 내가 이 진기한 구경을 놓칠 리 없었다.

내성적인 군인들은 가만히 앉아서 보고만 있었고, 사교적인 군인들은 손을 흔들었으며, 인정 많은 군인들은 초콜릿, 껌, 과자 등을 던져 주었다.

"헬로, 헬로, 꺼므, 꺼므."

"기브 미 꺼므, 헬로."

아이들은 살판나서 떠들어 댔고 어쩌다 재수가 좋아 얻은 게 있으면 그게 껌이든 사탕이든 가리지 않고 다 삼켜 버렸다.

그때 한 트럭에서 군인들이 아이들을 향해 손을 내밀었다. 아이들은 환성을 지르며 달려들어 서로 그 손을 잡아 보려고 기를 썼다. 나도 질세라 한껏 손을 뻗었다.

나까지 3명의 아이가 트럭에 올라 밑의 아이들을 바라보며 선택된 승리감에 잠깐 신이 났다. 그러나 잠시 후 트럭이 움직이기 시작하고 군인들이 알아듣지 못할 말로 떠들어 대는 통에 덜컥 겁이 나 뛰어내리려는데, 그런 나의 마음을 읽었는지 한 군인이 껌을 내밀었다. 당장 입에 넣는 나를 재미있다는 표정으로 바라보더니 삼키지 말고 계속 씹으라는 시늉을 했다. 이 무슨 요술 엿인가! 한참을 씹어도 녹지도 삭지도 않고 그대로 있었다. 신기해하며 씹고 있는데 이번에는 초콜릿을 주었다. 그러고는 씹다가 꿀꺽 삼키라는 시늉을 했다. 이건 또 뭐지? 부드럽고 달콤하고 쌉싸래한 것이 거의 황홀할 정도였다. 히죽히죽 웃으며 정신이 없는데 다른 군인이 다가와서 뭔가를 뿌렸다. 난데없는 향기에 두리번거리다가 독약인가 싶었지만 이내 나한테서 나는 역겨운 냄새 때문이라는 것을 깨달았다.

나를 트럭에 태운 것도 새까만 얼굴에 때가 반들거리는 옷을 입고 있어 얼른 봐도 돌보는 사람이 없는 아이 같았기 때문이라는 것을 나중에야 알았다.

어차피 갈 데 없고 기다리는 사람도 없는 몸이라 포기 반 기대 반의 심정으로 아예 트럭 바닥에 주저앉았다.

우리 셋을 태운 트럭은 철망으로 울타리를 쳐 놓고 공사가 한창인 용산 본부에 도착했다. 미군들은 내 더러운 옷을 벗기더니 군복을 입혀 주었다. 너무 길어 펄럭거리는 소매와 바지 단을 둘둘 말아 올리고 신바람이 나 있는데 군화를 들고 왔다. 난생 처음 신어 보는 가죽신! 무겁기는 했지만 이제껏 맨발 아니면 짚신이 고작이었던 나는 너무 좋아서 이리저리 걸어 보고 겅중겅중 뛰었다. 뜨거운 물로 목욕에 이발까지 하고 알맞게 줄인 군복에 군화까지 신고 보니 거지가 왕자 옷을 입고 궁전에라도 들어온 기분이었다.

식사 시간인지 식판이라는 것을 주는데 감자와 콩에 커다란 고깃 덩어리가 놓여 있었다. 나는 감자와 콩만 먹고 고기는 아까워 종이에 잘 싸서 주머니에 넣고 다니며 조금씩 뜯어먹었다. 그런데 그 다음 끼니때도 또 고기가 나와 그 후로는 그런 수고를 하지 않았다.

그날 밤, 보물 같은 가죽신이었지만 신고 자자니 너무 불편하고 벗어 놓자니 걱정이 되어 품에 안고 잠이 들었다.

내 인생에서 최고로 편하고 호사스러운 2주였다. 미군들은 간단한 심부름을 시키며 나를 테스트했다. 나는 두 친구와 헤어져 전쟁터인 임진강 건너 장단으로 실려갔고 본격적인 일이 주어졌다.

수많은 천막들이 늘어선 한복판에 본부 천막이 있고 그 옆으로 장교 막사, 식당 천막, 사병 막사, 교회 천막, 병원 텐트 등이 줄지어 있었다.

나는 장교들의 시중을 드는 하우스보이로 뽑혔다. 새벽 5시에 일

빛나는 하우스보이의 일상

하우스보이의 미덕은 뭐니뭐니 해도 부지런함과 체력이다.
이른 새벽 기름통을 진 채 계단을 오르내리는 일은 역기보다도
더 강하게 나의 체력을 단련시켰다.

어나 10갤런의 기름을 지고 언덕 위 장교 막사로 올라가 난로에 기름을 넣는 일로 하루 일과가 시작됐다.

그 시간은 장교들이 아직 잠들어 있을 시간이라 살며시 들어가야 했다.

"누구야?"

유난히 잠귀가 밝은 황소 눈 윌리엄 소령이었다.

"구드 모닝가 싸!(Good morning, sir!)"

"뭐야?"

"구드 모닝가 싸!"

목소리가 점점 커졌다.

"뭐라는 거야?"

"구드 모닝가 싸!"

결국 아무도 못 알아듣는 나의 영어 덕분에 모두 깨고 말았다.

난로에 장교들의 세숫물을 올린 다음 구두를 닦고 옷을 정리했다. 7시가 되면 식당일을 거들다가 한국 사람들끼리 모여 밥을 먹었다. 빨래, 청소, 다림질이 끝나면 저녁식사 준비를 돕고 밤 9시쯤이면 하루 일과가 끝나는 생활이었다.

장교들은 동작 빠르고 눈치 빠른 나를 보이 대신 벅숏(총알)이라고 부르며 귀여워해 주었다. 추위와 굶주림에서 해방되고 어디로 갈까, 어디서 잘까 하는 고민이 없어진 것만도 감지덕지인데 나를 필요로 하고 고마워했다. 게다가 월급까지 준다니 그야말로 별천지에 온 것만 같았다.

옆 텐트의 보이인 피위가 중학교에 다니다가 트럭에 오른 후 돈

맛을 알아 학업의 길을 접고 인생이 바뀌었듯, 나도 미군 트럭에 오르면서 쓸모없는 존재에서 필요한 존재로 바뀐 인생을 살게 되었다.

빛나는 하우스보이

하우스보이 일에 익숙해지자 이제까지는 보지도 느끼지도 못했던 것들이 내게 와 닿기 시작했다.

우선 사병 막사는 침대와 담배연기로 꽉 차 있어 개인적인 공간이라고는 전혀 없었고 쉴 만한 분위기도 아니었다. 또 그들의 식당에는 허술한 식사가 기다리고 있었고 빨래조차 제대로 할 수가 없었다.

그에 비해 장교 막사는 공간이 넓어 활동이 자유로웠고 매일 깨끗하게 빨아 잘 다려진 옷과 잘 차려진 식사가 기다리고 있었다.

계급을 떠나 사람마다 성격도 다르고 시간을 쓰는 방법과 태도도 달랐다. 욕하고 떠드는 사람과 조용하고 사색적인 사람, 거칠고 이기적인 사람과 친절하고 상냥한 사람이 있었다. 또 시간만 나면 술과 담배, 카드놀이에 열중하는 사람과 책을 가까이하는 사람, 악기를 연주하는 사람 등 같은 모습을 찾기 어려울 정도로 다양했다. 죽음을 앞두고 보이는 모습들도 제각각이었다. 소리를 지르며 원망하기도 하고 두려움에 떨기도 하고 울며 신에게 매달리기도 했다.

아침에 멀쩡한 몸으로 나갔던 사람이 시체로 변해 돌아오기도 했고 불구가 되어 실려오기도 했다. 잘린 다리를 만지며, 좋아하는 농구를 다시는 못 하게 됐다고 통곡하는 젊은 병사를 보면 나도 덩달아 눈물이 나왔다.

어제 친구가 죽었다고 울더니 오늘은 사소한 일로 다른 친구와 싸우는 사람도 있었다. 쉬는 날이면 초콜릿과 학용품을 싸들고 고아원을 찾아가는 이들도 있었다.

바로 옆에서 터지는 듯 대포 소리가 쾅쾅 울리는 밤에도 그들은 야외 스크린을 펼쳐 놓고 미인들이 속삭이는 사랑 영화에 빠져들곤 했다. 군인들과 함께 앉을 수 없는 우리 하우스보이들은 멀리 언덕 위나 나무 위에 올라 영화를 봤다. 그때 본 엘리자베스 테일러의 아름다움이란…… 영화 「아이반호」의 여자 주인공인 그녀는 내 눈과 마음을 온통 앗아가 버렸다.

내가 맡은 막사의 장교 7명 중 유일한 흑인인 부스 중위는 종종 따돌림을 당했다. 나조차도 왠지 부담스러워 가까이하지 않던 어느 날이었다. 평소에는 주로 혼자 책이나 보던 그가 울고 있었다. 놀랍기도 하고 미안하기도 해서 슬그머니 돌아서는데 나를 불렀다. 나를 앞에 앉혀 놓고도 계속 우는 그에게 왜 우느냐고 묻자 "이 검은 색깔 때문이야. 이 검은색 때문이야" 하며 자기 손을 마구 깨물었다. 왠지 안쓰러운 마음에 손을 만져 주자 나를 끌어안고 울었다. 대위가 될 때가 지났는데도 진급이 안 되는 이유를 알게 된 나는 그

전쟁과 고생 속에서도 청춘은 푸르고…
저 산너머는 생과 사가 엇갈리는 전쟁터건만 또 다른 산너머에는 무엇이 있을까. 전쟁통에도 장단 벌판은 푸르고, 나의 청춘 또한 가난하고 고생스러웠으되 푸르게 익어 갔다.

의 군화를 다른 사람들 것보다 더 반짝이게 닦아 주었고 만날 때마다 웃어 주었다.

백인인 무라스카 대위가 카빈총을 입에 물고 발가락으로 방아쇠를 당겨 자살했다. S3 장교로 조달 책임자였던 그는 술을 너무 많이 마셔서 늘 멍해 있다가 대령에게 자주 야단을 맞았었다. 갑작스런 죽음으로 알려진 그의 사연은 부인이 세 아이를 데리고 다른 남자에게 도망가 버린 것이었다.

그의 시체는 커다란 비닐봉투에 담겨 지프에 던져 넣어졌고, 그 차는 마치 짐짝이나 실은 듯 그냥 그렇게 가 버렸다. 순간 삶의 덧없음에 온몸이 떨려 왔다. 그의 시신이 실려 나간 자리에 떨어진 안경을 주워 든 나는 그의 혼이 담겨 있는 것 같아 한동안 조심스레 간직했다.

햇살 따스한 어느 봄날이었다. 헨슨 중사가 나를 부르더니 호각을 주었다. 그는 성병과 군기 때문에 미군들의 출입이 금지된 곳으로 나를 데리고 갔다. 밖에서 망을 보다가 MP지프(헌병차)가 오면 호각을 불어서 중사를 피신시키는 것이 내 임무였다. 그런데 지프가 나타나자 나는 너무 당황해서 때를 놓치고 말았다. 다리가 얼어붙어 도망도 못 간 나는 헨슨 중사와 웬 아가씨가 발가벗은 채 끌려오는 것을 보고 깜짝 놀랐다.

며칠 후 헨슨 중사는 일등병 계급장을 달고 다시 나타났다. 나는 미안하고 무서워 내내 피해 다니면서도 차라리 빨리 혼나 버렸으면 싶었다. 그러나 그는 아무 일 없었다는 듯 끝까지 태연했다.

미군의 하우스보이로 사춘기를 보내야 했던 나는 때때로 알 수 없는 슬픔과 불안에 사로잡혔다. 어른들처럼 술을 마시고 울다 잠들 때가 많았다. 어떤 때는 내가 처음 초콜릿과 껌을 맛보았던 순간을 생각하며 그것들을 잔뜩 안거나 내가 한번도 가져 보지 못한 학용품을 한 보따리 들고 고아원을 찾기도 했다. 드디어 나는 산타 형님이 됐다.

아이들이 기뻐하는 모습을 보는 것도 좋았지만, 일제히 껌을 씹을 때 나는 '딱! 딱!' 소리가 그럴 듯한 하모니를 이루는 것도 듣기 좋았다. 아이들이 잠들고 나면 그 모든 껌들은 일제히 벽에 붙어 아이들이 일어나기를 기다렸고, 아침이 되면 단 한 개의 껌도 벽에 남아 있지 않았다.

아무도 내게 돈의 가치를 가르쳐 주지 않았기에 내게는 적잖이 큰돈이었던 월급을 모조리 써 버리면서 나는 차츰 돈의 위력을 알게 되었다.

가끔 대령을 따라 공사장에 나가 엉터리 영어로 통역을 할 때는 마치 통역관이라도 된 듯 우쭐거렸지만 한국 인부들을 무시하는 미군들을 볼 때면 마음이 착잡했다.

다이아몬드는 여러 각도로 커팅될수록 더 찬란한 빛을 낸다고 하듯이 나의 사춘기는 가정과 학교에서 아름답게 커팅되는 대신 미군 부대 막사에서 인생의 갖가지 문제로 거칠게 커팅되어 갔다. 인종 차별과 계급 차별에 대한 회의, 삶과 죽음 앞에 선 인간의 방황, 성의 본능적 갈망 등으로…….

만남

기다리는 부인도 돌보아야 할 자녀도 없는 군부대, 게다가 언제 죽을지 모르는 전쟁터였다. 불안한 마음을 달래기에는 술과 카드가 제격이었고 군인들의 말과 행동은 갈수록 더 거칠어졌다.

군의관 폴 대위. 그는 언제나 상냥하고 친절할 뿐 아니라 항상 조용한 모습으로 책과 성경을 보는, 그래서 더 눈길을 끄는 사람이었다. 모두들 폴 대위를 성자 같은 사람이라고 칭찬했지만 이따금 잘난 척한다고 비웃는 사람도 있었다.

하우스보이 일을 시작한 지 얼마 되지 않았을 때였다. 첫 월급을 받아 든 나는 너무 고마워 참외와 수박을 사 들고 막사로 가서 그것을 깎아 접시에 담아 놓았다. 그런데 못 보던 과일이라서인지 아니면 한국의 위생을 믿을 수 없어서인지 아무도 선뜻 손을 내밀지 않았다. 난처해하고 있는데 폴 대위가 웃으며 한 조각 집어들었다. 그제야 모두들 "생큐!" 하며 먹기 시작했다.

가끔 교회에서 흘러나오는 폴 대위의 풍금 소리를 몰래 엿듣다가 고통스러웠던 과거와 미래에 대한 불안감이 떠올라 술을 마시며 울곤 했다.

귀뚜라미 우는 어느 여름밤이었다. 술을 마신 나는 막사에 기대 앉아 달을 바라보다가 그만 설움이 복받쳐 엉엉 소리내어 울고 말았다.

한참 울다가 인기척이 느껴져 고개를 들었더니 기다란 그림자가 내 앞으로 뻗어 있었고 그 끝에 키 큰 폴 대위가 서 있었다.

"저리 가세요!"

"벅숏, 왜 울지?"

"상관하지 마세요!"

"……."

"가시라니까요!"

"나도 아들이 셋 있다. 너를 보면 미국에 있는 아들들이 생각난단다."

"……."

"아이들이 울면 너무 가슴이 아파!"

그는 더 서럽게 우는 내게 깨끗하게 접힌 손수건을 내밀었고 나는 그의 다정함에 마음이 조금 풀렸다.

"너무 외로워서 그래요."

"가족들은 어디 살지?"

"몰라요."

아픈 질문을 한 것이 미안했는지 아무 말 없이 날 가만히 안아 주었다.

그도 함께 아파하는 것 같아 추스르고 일어나니 내 천막까지 데려다 주었다.

천막 앞에서 그는 나를 안타까운 표정으로 내려다보며 말했다.

"네가 다시는 울지 않도록 하나님께 기도하마."

그때 나는 처음으로 하나님에 대해 듣고, 하나님은 미국에 있는 어떤 사람일 거라고 생각했다.

"기도가 뭐예요?"

"나중에 가르쳐 줄게. 그만 들어가라. 늦었다."

다음 날 그는 식당에서 일하고 있는 나를 찾아와 조그만 성경책을 주었다. 나는 영어를 못 읽는다는 말을 차마 못 하고 그냥 받아들었다.

며칠 후 폴 대위가 저녁에 일이 끝나면 부대 앞에서 만나자고 했다. 가 보니 트럭에 목재를 가득 실어 놓고 나를 기다리고 있었다. 나는 '겉으로는 좋은 사람인 척하더니 야매 시장에 물건을 내다 파는구나' 하는 생각에 쓴웃음을 지었다. 한참 후 트럭이 도착한 곳은 문산에 있는 피란민 수용소였다.

나는 폴 대위를 도와 그곳에 간이 진료실을 짓고 그날 이후 환자들의 통역을 맡아 1주일에 서너 번씩 긴 여름 저녁을 그와 함께 보냈다. 그와 함께 있는 시간은 보람 있고 행복했다.

그가 준 성경이 읽고 싶어 강 건너에 있는 한국 부대 통역관에게 초콜릿과 양담배를 갖다 주며 알파벳부터 배우기 시작했지만 쉬운 일이 아니었다. 또 읽는다고 다 이해할 수 있는 것도 아니기에 생각

내 희망의 아버지 폴 대위
폴 대위! 그와의 만남은 희망과의 만남이었다.

다 못해 서울에 가는 길에 한글로 된 성경책을 사 왔다.

"군의관님은 왜 다른 사람들과 다릅니까?"

"나는 하나님을 믿거든. 위험한 전쟁터에 있어도 항상 하나님이 위로하신단다."

"하나님이 누구죠?"

"정말 몰라?"

"미국에 사나요?"

"뭐?"

"미국에 사는 사람이냐고요."

폴 대위는 그제야 웃으며 이렇게 말했다.

"아냐. 하나님은 이 세상을 만드신 신이다. 나의 아버지이고 또 너의 아버지란다."

"……."

"내 아이들도 하나님의 아들들이고 너도 하나님의 자식이지."

나는 도무지 이해할 수 없는 말을 들으며 속으로 '나는 신광성의 자식이다'라고 중얼거렸다.

"그럼 하나님은 나 같은 사람도 사랑해 주나요?"

"물론이지. 하나님은 구세주 예수 그리스도를 이 땅에 보내셨고 믿기만 하면 누구든지 구원을 받는단다."

"예수 그리스도는 또 누군데요?"

여전히 미국에 사는 어떤 사람일 것이라고 생각하며 물었다.

내가 폴 대위를 만나 조금씩 달라졌듯이 폴 대위를 다른 사람들과 다르게 만든 하나님을 만나고 싶었다. 그래서 나도 폴 대위 같은 사람이 되고 싶었다. 밝은 미소, 부드러운 마음, 봉사 정신…… 그의 모든 것을, 하나님이 그에게 준 위로와 평안, 소망을 나도 얻고 싶었다.

나는 너를 믿는다

부대장 오그레이디 중령의 심부름으로 다리 공사장에서 통역을 해 주고 돌아왔더니 점심 시간이 훨씬 지나 버렸다. 너무 배가 고파 주방으로 달려갔더니 취사병 캐슬은 시간이 지났기 때문에 절대로 밥을 줄 수 없다고 고집을 피웠다. 별수없이 직접 찾아 먹으려는데 캐슬이 갑자기 들고 있던 식칼을 내 목에 들이댔다.

"당장 나가! 안 나가면 죽여 버리겠어!"

온몸이 와들와들 떨렸고 그때마다 칼끝이 목을 아프게 찔러 왔다. 얼떨결에 옛날 거지 시절에 장난삼아 익혀 둔 대로 발을 걸고 팔을 꺾어 뒤로 돌리자 90킬로그램이 넘는 그의 육중한 몸이 힘없이 바닥에 나동그라졌고 식칼은 멀리 날아가 떨어져 버렸다.

놀란 캐슬은 그 길로 상사를 찾아가 내가 자기를 죽이려 했다고 보고했고 당장에 S2(수사대)에서 와서 밧줄로 내 손목을 묶어 본부로 끌고 갔다. 순식간에 벌어진 일이라 어안이벙벙하고 혀가 굳어 그나마 영어가 한마디도 안 나왔다.

상황을 모르는 미군들은 보이 주제에 감히 미군을 죽이려 했다고 하나같이 흥분해서 "Kill! Kill!" 하고 외쳐 댔다. 이사람 저사람 돌아가며 구둣발로 엉덩이를 걷어차고 머리를 쥐어박고 야단이었다.

"이제 대령님이 오시면 넌 영창에 가고 재판은 하나마나 사형감이다."

"넌 이제 끝장이야."

이구동성으로 을러 댔다.

이 살벌한 전시에 파리 목숨보다 하찮은 내 목숨이 경각에 달린 것을 온몸으로 느끼며 목이 바짝바짝 타 들어갔다. 일각이 여삼추로 2시간쯤 지났을 때 갑자기 문이 벌컥 열리더니 폴 대위가 하얗게 질린 얼굴로 뛰어들어왔다.

"말해라! 네가 정말 캐슬을 죽이려 했느냐?"

"아니에요! 그런 게 아닙니다!"

"그럼 도대체 뭐야? 어떻게 된 일인지 말해 봐라."

"사실은…… 사실은요……."

폴 대위의 얼굴을 보는 순간 살았다는 생각이 들면서 겨우 말문이 열렸다. 울먹이며 더듬더듬 상황을 설명했다. 잔뜩 굳은 표정으로 내 말을 듣고 있던 그는 나를 믿는다며 등을 한 번 두드려 주고는 급히 나갔다.

잠시 후 상사가 들어오더니 밧줄을 풀어 주며 가서 저녁 식사 준비나 하라고 등을 떠밀었다. 반신반의하며 식당으로 갔더니 고기를 자르고 있던 캐슬은 나를 못 본 척했다. 조심스레 음식을 나르는데 폴 대위가 캐슬을 불러내 그의 손을 억지로 성경 위에 얹어 놓고 하나님에게 맹세하게 했다.

"저 아이가 정말 너를 죽이려 했나?"

"……."

"어서 대답해!"

"……."

"그럼 네가 저 아이를 죽이려 한 건가?"

모두 숨을 죽였고 그 정적 속으로 팽팽한 긴장이 느껴졌다.

조금 후 캐슬은 얼굴이 벌겋게 달아오르더니 "노!"라고 소리를 지르며 주방으로 뛰어가 버렸다.

그 순간 모두들 참고 있던 숨을 토해 내듯 "훅!" 하고 한숨을 내쉬었다. 나 역시 맥이 풀려 넋을 놓고 있는데 폴 대위의 목소리가 들렸다.

"보십시오! 난 처음부터 벅숏이 그런 짓을 했을 리가 없다고 생각했습니다."

장교들이 다가와 사과하며 내 등을 두드려 주었다. 그 동안 긴장과 두려움에 질려 울지도 못했던 나는 그제야 서러움과 안도감이 뒤범벅된 울음을 터뜨렸다.

그 일 이후 폴 대위를 향한 나의 마음은 감사와 존경과 신뢰로 물결쳤다. 피란민 진료소에서 그를 도울 때면 이제껏 단 한 번도 느껴 보지 못했던 보람과 희열을 느꼈다. 사랑하는 사람을 위해서 일하는 것이 얼마나 큰 행복인지를 처음으로 경험했다.

우리의 믿음과 사랑은 피부색이나 신분, 언어와 나이의 장벽을 뛰어넘었으며 위기를 만난 후 더욱 깊어 갔다.

어느 날 밤, 문산에서 돌아오는 차 안에서 그는 조심스럽게 그러나 또박또박 말했다.

"너를 내 아들로 삼고 싶다."

"네?"

순간 나는 내 귀를 의심했다.

"너를 입양해서 미국으로 데리고 가고 싶은데, 안 될까?"

"……."

"미국의 가족들에게는 벌써 내 뜻을 알렸지. 너만 괜찮다면 별 문제가 없을 거야."

이제까지 그가 내게 했던 말들이 떠올랐다. 미국에 가고 싶지 않느냐는 말, 미국에 가면 공부는 얼마든지 할 수 있다는 말 같은 것들이었다.

지나가는 말, 아니 그냥 해 보는 말인 줄 알았는데……. 그 동안 폴 대위가 미국으로 돌아가면 나는 어찌하나 생각만 해도 눈물이 나지 않았는가? 그가 없는 막사는 빈 집일진대, 그가 떠난 이 땅을 내 어찌 감당하랴!

나는 다짐했다. 그가 가는 곳이라면 땅 끝까지라도 따라가고, 그가 사는 곳이라면 지옥에서라도 함께 살리라.

무지개 꿈

산 하나만 넘으면 피비린내나는 전쟁터였다. 이곳 막사도 죽음의 사자가 수시로 문을 두드렸지만 우리 하우스보이들은 잔디 깎고 물 주고, 꽃 심고 가꾸는 게 일이었다.

여름이 되자 새벽에 무거운 기름을 지고 언덕을 오르지 않아도 되고, 난로에 물을 데우지 않아도 되어 좋았다. 그러나 무엇보다 좋았던 것은 해가 길어져 폴 대위와 함께 있는 시간이 늘어났다는 것이었다. 남들은 다 쉬는 시간에 어려운 이웃을 돌보는 그 아름다운 폴 대위를 위해서라면 한겨울에도 개구리 요리를, 한여름에라도 알쥐 요리를 해줄 수 있을 것 같은 마음이었다.

술도 커피도 마시지 않는 그는 차가운 물을 유난히 좋아했다. 나는 대령의 아이스 박스에 물을 담은 위스키 병을 넣어 두었다가 그가 돌아오면 재빨리 갖다 주곤 했다. 그런데 어느 날 아이스 박스를 여는 나를 오그레이디 대령이 손짓해 불렀다. 난 병을 들어 보이며 술이 아니라 물이라고 설명했지만 대령은 냉정하게 말을 잘랐다.

"이 아이스 박스는 내 것이지 폴 대위의 것이 아니야. 앞으로는 절대로 손대지 말아."

시원한 물을 마시며 좋아하는 폴 대위의 모습을 보지 못하게 된 것이 너무도 안타까웠다. 꼬박 이틀 밤을 고민한 끝에 좋은 생각이 떠올랐다. 다시 이틀 동안 한 길 정도 땅을 판 다음 흙이 무너지지 않도록 양철판을 둘렀다. 두레박에 물병을 담아 넣어 두었더니 깊은 땅 속의 냉기로 물이 제법 차가워졌다.

아무것도 모르고 그저 좋아하는 폴 대위에게 다른 장교가 말했다.

"닥터 폴, 그 물이 어디서 난 것인지 알아요? 그것 때문에 벅숏이 이틀 동안이나 땅을 팠어요."

감격한 폴 대위는 눈물을 글썽이며 나를 끌어안고 어쩔 줄 몰라 했다.

어느 날은 옷이라고는 군복뿐인 나에게 새 점퍼를 사서 입혀 주고는 좋아서 야단이었다. 용산 본부에서도 구할 수가 없어서 미국에 직접 주문해서 받은 것이었다. 나를 멋지게 꾸며서 미국의 가족들에게 보여 주고픈 그의 깊은 속을 다 헤아리지는 못했지만, 사랑이 깊어 갈수록 우리는 서로 무엇이든 해 주고 싶어했고 서로 최선을 다했다.

여름이 끝나 갈 무렵 폴 대위는 본격적으로 입양 수속을 하기 위해 임시 정부가 있는 부산으로 나를 데리고 갔다. 기차를 탔다가 행여라도 헌병이 나를 잡아다 군대에 넣을까 봐 염려한 폴 대위는 나를 비행기에 태우고 자기는 기차를 탔다.

그때까지 비행기를 타게 되리라고는 꿈도 꾸지 못했었다. 새보다 빠르게 하늘을 날게 되다니 아무리 생각해도 나 자신이 한없이 대견했다. 그런데 갑자기 귀가 멍해지더니 낯선 울림이 머릿속을 파고들었다. 귀머거리가 돼 버릴 것만 같았다. 스튜어디스는 놀란 내게 하품하듯 입을 크게 벌려 보라며 깔깔 웃었다. 가르쳐 준 대로 했더니 금방 귀가 뚫려 마음이 놓였지만 창피해 죽을 지경이었다.

폴 대위는 부산 비행장에 지프를 대 놓고 기다리고 있었다. 수속을 하는 3일 동안 그는 나를 미군 장교 숙소에 몰래 데리고 들어가 같이 자기도 했다. 나 혼자 여관에서 자게 되면 이른 새벽에 찾아왔다. 이리저리 묻고 물어서 외무부로 국방부로 돌아다니며 먼지를 뒤집어쓰고 흠뻑 비에 젖기도 했지만 그는 짜증 한 번 내지 않았고 피곤한 내색 한 번 보이지 않았다. 나를 아들로 삼기 위한 그의 수고는 가족이 아니고서는 감당할 수 없는 일방적인 희생이었다.

"대위님은 크리스천이라서 그렇게 성자처럼 행동하시나요?"

"부족하지만 진실한 크리스천이 되려고 항상 노력한단다."

이제 얼마 후면 복무 기간이 끝나 미국으로 돌아가야 하는 폴 대위는, 전쟁터인 장단에 나를 놔 두고는 도저히 마음놓고 갈 수 없다며 일요일마다 미사를 집례하러 오던 명동성당 윤 신부에게 나를 맡겼다.

난 그가 한국에 있는 동안만이라도 함께 있겠다고 떼를 썼지만 평소에는 너그럽기만 했던 폴 대위도 이때만큼은 뜻을 꺾지 않았다. 나는 파란만장했던 전방의 하우스보이 생활을 접고 명동성당으로 거처를 옮겼다.

흑인인 부스 중위는 떠나는 나에게 "미국은 천국이 아니야. 조심해야 해" 하며 의미심장한 말을 전했다. 그때는 무슨 뜻인지 몰랐지만 훗날 나는 그 말을 여러 번 실감했다.

명동성당 신부 사택 3층에 살게 된 나는 주중에는 성당 마당을 쓸고 사택을 청소했다. 일요일에는 종을 치고 새벽 6시부터 오후 2시까지 파이프 오르간의 페달을 밟았다.

하우스보이 생활과는 비교할 수 없을 만큼 편하고 안전한 일이었지만 폴 대위를 만날 수 없는 하루하루가 내게는 무의미하게 느껴졌다.

주말이면 폴 대위, 아니 나의 양아버지는 온통 먼지를 뒤집어써 희끗해진 모습으로 내가 좋아하던 아이스크림을 들고 나타났다. 이른 아침부터 그의 차가 성당 마당에 들어서는 순간만을 기다리던 나는 그가 차에서 내리기도 전에 달려가 안겼다.

어느 토요일이었다. 양아버지는 올 시간이 한참 지나서 다 녹아 걸쭉해진 아이스크림을 들고 왔다. 아이스크림을 사러 간 사이에 헌병이 그의 차를 끌고 가 버렸기 때문이었다. 나는 녹아 버린 그 아이스크림을 다른 어떤 것보다 더 맛있게 마셨다.

그렇게 가을이 가고 겨울도 깊은 1월, 폴 대위가 떠나야 하는 날이 왔다.

장단의 막사로 가는 동안, 나는 절대 울지 않겠다고 다짐했다.

그는 짐을 꾸리면서 무슨 일이 생기면 전화하라며 주소와 전화번호를 적어 주었다.

"내가 미국에 가서 계속 수속할게. 만약 무슨 일이 생기면 전화해야 해!"

종이를 받아 든 순간 이제껏 애써 참고 있던 눈물이 봇물처럼 터져 버렸다.

폴 대위도 눈물을 글썽이며 차에 올랐다. 그를 태운 차가 뽀얀 먼지를 일으키며 사라졌다. 흐려진 내 눈앞에는 먼지만 어지럽게 피어오를 뿐 그의 모습도 체취도 다 사라지고 없었다.

나에게 무지개를 보여 준 사람…….

'이제 그는 내 곁을 떠나 미국으로 가 버렸기에 현실이 아닌 꿈이 되어 버렸지만 언젠가 미국에 가서 그를 만나는 날, 더 이상은 꿈이 아니리!'

꿈을 나누는 세 친구

높고 웅장한 천장과 벽, 햇살을 받아 찬란하게 빛나는 채색된 유리창들을 올려다보며 파이프 오르간의 페달을 밟았다. 라틴어로 엄숙하게 치러지는 미사의 경건한 분위기와 청아한 음악은 내 마음을 숙연하게 했지만 그 뜻을 알 수 없어 답답했다.

오후에 마당에 나갔더니 건너편 영락교회의 찬송가 소리가 내 발을 끌어당겼다. 정신을 차리고 돌아오려고 했지만 교회 문 앞에 서있던 신도들이 "어서 오세요" 하며 반겼다. 도망가기에는 너무 늦어 버린 것이다.

뒷자리에 엉거주춤 앉아 조심스레 살펴보니 모두들 좋은 옷에 밝은 표정이었다. 나 혼자만 거지꼴인 것 같아 얼굴이 화끈 달아올랐지만 한경직 목사님의 설교가 나의 상한 마음을 가만히 어루만져 주었다.

알 것도 모를 것도 같은 설교가 끝나 갈 때쯤 나는 누가 붙잡을세라 얼른 빠져나왔다. 일요일마다 명동성당과 영락교회를 오가며 나는 어느덧 소년 티를 벗고 청년으로 변해 가는 길목에 서 있었고, 그 자리에서 평생 잊을 수 없는 두 친구를 만났다.

황운섭, 나보다 두 살 많은 그는 성당 잡지사에서 심부름하는 소년이었다. 또 한 친구는 신부님들의 식사 수발을 들던, 나보다 여덟 살이나 많은 식모 이영도 누나였다.

우리는 하는 일도 나이도 달랐지만 성당에 기대 살아가는 고달픈 처지가 비슷해 서로 돕고 의지하게 되었다. 운섭은 두 살 때 아버지가 돌아가셨고 누나가 굶어 죽었을 정도로 가난한 집안의 소년 가장이었다. 그는 효성이 지극해 신부님들의 칭찬이 자자했다. 운섭의 어머니는 나를 불쌍히 여겨 자주 집으로 불러 따뜻하게 대해 주었던 참 인정 많은 분이었다.

전쟁통에 남편을 잃은 영도 누나는 아이들을 친정에 맡기고 식모살이로 돈을 벌고 있었다. 나는 미국에 가서 공부하는 꿈을, 운섭은 돈을 많이 벌어 어머니와 동생들을 호강시킬 꿈을, 영도 누나는 학교 선생님이 되는 꿈을 갖고 있었다.

그때 우리 이야기를 누가 들었다면 코웃음을 쳤겠지만 우리는 각자 자신의 꿈을 키우며 서로의 꿈을 지켜 주는 파수꾼이었다.

영도 누나는 남몰래 우리의 국그릇에 고기를 듬뿍 넣어 주고, 모아 둔 누룽지를 나눠 주기도 했다. 양아버지가 용돈을 보내온 날이면 우리는 중국집에 모여 자장면에 탕수육을 추가로 시켜 나누어

꿈을 나누는 세 친구

고통스런 삶 속에서 만난 친구들은 피를 나눈 형제보다 더 깊은 정이 든다. 따스한 어느 일요일, 세 친구가 잔디밭 위에서 포즈를 잡았다. 우리 셋은 불투명하지만 꿈이 있었기에 서로 밝은 미소를 나눌 수 있었다. (왼쪽부터 필자, 영도 누나, 운섭)

먹었다.

함께 남대문 시장으로 내려가 옛날처럼 손수레에 실린 오이를 슬쩍 빼 먹기도 했다. 추운 겨울에는 따끈따끈한 군고구마와 군밤으로 꽁꽁 언 손을 녹였고 무더운 여름에는 남산에 올라 시원한 산바람과 아이스케키로 땀을 식혔다. 또 주말이면 서울 근교의 산에 올라가 얼음처럼 차가운 계곡 물에 발을 담근 채 서로의 꿈과 추억을 이야기했다.

우리는 서로에게 위안과 용기를 주고, 희망과 우정을 나누며 그 힘겨운 시절을 함께 견뎠다.

나처럼 초등학교도 못 나왔지만 붓글씨가 명필이었던 운섭은 나중에 강 신부님의 주선으로 한 교인이 성당에 헌납한 인쇄소를 맡아 사장이 되었고, 그 인쇄소를 착실히 운영한 덕분에 부자가 되었다. 훗날 그의 딸과 두 아들은 미국으로 유학 와서 뉴욕 주립대학, 조지 워싱턴 대학을 졸업했다. 지금은 그 아이들이 사회에서 제 몫을 충실히 해내고 있으니 소년 가장 운섭의 꿈이 이루어진 것이다.

식모 아줌마 영도 누나는 야간이었지만 숙명여자대학교를 졸업하고 자신의 꿈대로 학교 선생님이 되었다. 아들과 딸을 공부시키고 결혼시킨 후에 재혼한 그녀는 알래스카로 이민을 갔다가 시애틀로 이사 와 나의 이웃이 되어 가족처럼 지냈는데, 몇 년 전 아직 아까운 65세의 나이로 세상을 떠났다.

항상 자기가 빨리 죽어야 연하인 남편이 젊은 새 아내를 얻을 수 있을 거라더니 정말 그 말처럼 되고 말았다. 누나의 남편은 자식도 없이 자기 혼자 남겨 놓고 떠난 아내를 야속해하며 그녀의 이른 죽음을 몹시 애통해해 보는 이들의 가슴을 더 아프게 했다.

한국을 방문했던 1966년, 운섭과 함께 전주에서 교편을 잡고 있던 누나를 찾아갔었다. 그날 우리는 옛날처럼 중국집에 앉아 자장면과 탕수육을 먹으며 지난 시절로 돌아갔다.

누나가 시애틀로 이사 온 후 그녀는 내게 얼마나 친누나 이상으로 극진했던가. 내가 대학 교단에 있을 때 누나의 가게(남편은 구두 수선, 누나는 옷 수선)로 오라는 연락이 와서 가 보면 내가 좋아하는 음식을 한 상 가득 차려 주기도 했다. 또 선거전이 막바지에 이르러 기운이 다 빠져 있을 때면 보약을 달여 와 자기 앞에서 마시게 한 누나였다. 그런 누나의 죽음으로 나는 한참 동안 무력감에 시달렸다.

지금도 한국에 갈 때면 으레 만나는 친구지만 운섭을 만날 때면 나는 언제나 설레고 흥분된다. 우리는 함께 여행도 하고 어린 시절처럼 말을 놓고 지내는 유일한 친구다.

운섭의 어머니가 돌아가셨다는 연락을 받고 성당 장례미사에 참석했다. 여전히 높은 천장과 화려하게 채색된 창유리, 나는 파이프 오르간 페달을 밟는 것이 아니라 뒷좌석에 앉아 까닭 모를 눈물을 흘리고 있었다.

닿지 않는 무지개

적막한 밤이면 텅 빈 가슴에 외로움이 파도처럼 밀려왔다.

가족도, 해야 할 일도, TV도 없는 긴 겨울밤, 나는 폴 대위의 체취를 느끼고 싶어 그가 주고 간 영어로 쓰인 성경을 읽었다. 달리 영어를 공부할 방법이 없었던 나는 사전을 찾아 가며 읽고 또 읽었다.

그렇게 수많은 밤을 보내 일 년이 지나고 이 년이 돼 가고 있었다. 양아버지 폴 대위의 간청에 일반인이 성당 사택에 기거할 수 없음에도 받아 주었던 윤 신부님이 점점 곤란해질 수밖에 없었다.

천상의 음악 같은 파이프 오르간 소리도, 내 가슴에 잔잔한 파문을 일으켰던 한경직 목사님의 설교도 모두 뒤로한 채 달랑 작은 보따리 하나뿐인 내 짐을 들고 성당을 나왔지만 막상 갈 만한 곳이 없었다. 명동성당이 얼마나 고마운 곳이었는지 새삼 느끼며 무작정

북쪽으로 가는 버스에 올랐다.

판문점 근처에 이르자 미군 부대 막사가 줄지어 서 있는 낯익은 모습이 눈에 들어왔다. 그 순간 반가움과 또 다른 좌절감이 빠르게 교차했다.

무조건 나를 써 달라고 졸랐고 나의 일솜씨를 본 군인들은 나를 장교 막사의 하우스보이로 써 주었다. 정든 사람 하나 없는 처지였기에 일할 때가 오히려 마음이 편했다. 죽어라 일만 하다가 밤이면 침대에 눕기가 무섭게 곯아떨어지는 생활의 연속이었다.

1953년 7월, 휴전이 성립되었다. 인민군에게 잡혀 있던 미군 포로들이 돌아오고 마찬가지로 인민군, 중공군 포로들이 북한으로 돌아갔다.

특별히 기억나는 것은, 제임스 딘 장군을 비롯한 미군 포로들이 판문점에 도착하자 입고 있던 인민군 옷과 모자를 벗어던지고 속옷 바람으로 춤추고 노래하며 돌아오던 광경이다. 그 모습은 참으로 포로 된 자가 자유를 얻은 그 모습이었다. 그에 반해 덩달아 옷을 벗고 가는 인민군과 중공군은, 맥없이 터덜터덜 걸어가는 것이 패잔병 그대로였다.

판문점 근방은 장단과는 달리 버스가 다니는 곳이어서, 나는 주말이면 운섭을 만나기도 했고 월급을 타면 친아버지를 찾아가기도 했다.

조금도 나아진 것이 없는 여전히 궁색한 살림. 나를 눈물로 반기던 할아버지 대신 무뚝뚝한 아버지가 내심 반가워했다. 얼마 안 되는 돈이지만 아버지 손에 쥐여 주고, 수줍어하는 동생들에게 초콜릿을 안기기도 했다.

폴 대위가 편지로 일러 준 용산 미군 부대의 교회를 찾아갔다. 미군들과 한인들이 함께 드리는 예배라 낯설지 않았다. 그러나 한인들 대부분이 사각모를 쓴 대학생들인데다 못 알아듣는 설교 때문에 나는 고개를 푹 숙인 채 앉아 있었다.

예배가 끝나면 부랴부랴 나왔지만 김호직 박사의 "신 군, 그 동안 잘 있었나?" 하며 따뜻하게 건네오는 악수가 다음 일요일 다시 교회를 찾게 만들었고, 후에 나는 세례를 받았다. 당시 문교부 차관이었던 김호직 박사는 지금도 내가 존경하는 분이다.

어느 주말 나는 금촌의 외할머니 집을 찾아갔다. 도대체 얼마 만인가?

한여름 농부들의 일손은 바삐 움직이고, 논둑 위의 소는 한가로이 풀을 뜯고 있었다.

할머니가 돌아가셨으면 어쩌나 하는 생각에 집이 보이기 시작하자 가슴이 마구 뛰었다. 할머니를 부르며 대문을 들어서자 허리가 더 꼬부라져 꼽추 같은 할머니가 맨발로 뛰어나왔다.

"이 자식아! 이렇게 성공해서 돌아오다니! 내 생전에 너를 다시 보는구나. 아이고, 네 어미가 이렇게 잘난 너를 보면 얼마나 좋아할꼬. 지지리 복도 없는 년! 아이고, 내 새끼야!"

미군 군복에 구두를 신고 선물 보따리까지 들고 나타난 내가 할머니와 촌동네 식구들에게는 개선장군처럼 보였나 보다. 할머니는 한참 동안 나를 이리저리 쓸어 보고 흔들어 보다 그것도 부족해 여기저기 때리기까지 했다.

선물 보따리를 풀어 할머니가 좋아하던 담배, 그것도 귀한 양담배를 내놓고 외사촌 동생들에게는 초콜릿을 나누어 주었더니 모두 눈이 휘둥그레졌다.

어릴 적 이 집을 뛰쳐나오던 그날 밤, 엿장수가 되어 실컷 엿을 나누어 주리라 꿈꾸지 않았던가. 그날 나는 망상이 아닌 현실에서 미제 엿을 나누어 준 후 할머니 집을 떠났다.

이제 가면 언제 다시 만나느냐며 붙잡는 할머니의 눈물을 뒤로 하고 차마 떨어지지 않는 발길을 돌렸다.

여권은 신청한 지 3년이 지나도록 소식이 없었고, 그 동안 비자는 두 번이나 만기가 되어 취소돼 버렸다. 이제 한 번만 더 취소된다면 미국행은 영영 끝이었다. 중앙청, 외무부, 국방부를 발이 닳도록 찾아다녔다. 전쟁 직후, 혼란과 물신주의가 극에 달한 시절이었다. 언제 또다시 전쟁이 터질지, 정권이 뒤집힐지 모르는 불안한 시국에 돈 봉투도 들어 있지 않은 내 서류는 구석에 처박혀 있을 수밖에……. 아니 돈을 받기 위해서라도 밑에 내려놓은 것이다.

미국에 가게 될 경우를 생각해, 나는 시간이 나는 대로 자주 아버지 집을 찾았다. 한번 떠나면 언제 다시 볼지 모르는 아들을 위해 새어머니는 여러 가지로 신경을 써 주었다. 친아버지를 헌 아버지로 돌려 놓고 새아버지 만나 미국으로 가려는 아들을 괘씸히 여기는 대신에, 아버지는 그 동안 장작 패서 모은 돈을 털어 3류 대학 재학 증명서를 샀다. 입양으로 미국을 못 가면 유학으로라도 보내 주려는 아버지의 깊은 마음의 선물이었지만, 초등학교도 못 나온 내가 대학생으로 미국에 간다면 개도 웃을 일이었다. 답답해 외무부에 찾아가면 "돈 얼마나 가지고 왔소?" 하는 소리만 듣고 그대로 돌아설 수밖에 도리가 없었다.

그래도 행여나 하는 마음에 또 국방부를 찾아갔다.

"너 또 왔구나?"

몇 번 본 적이 있는 소령 한 사람이 아는 척을 했다. 반가운 마음에 인사를 했더니 따라오라는 시늉을 했다. 무슨 뾰족한 수라도 있나 싶어 그를 따라 아서원이라는 중국집으로 갔다. 탕수육, 팔보채, 양장피 같은 비싼 요리를 잔뜩 시켜 놓고 내게는 먹어 보라는 말 한마디 없이 혼자서 다 먹어 치웠다. 그러고는 길게 트림을 내뱉더니 "잘 먹었다. 돈 내고 와" 하고 가 버리는 것이 아닌가. 그날 나는 주머니를 탈탈 털고도 모자라 시민증을 맡기고 며칠 동안 접시를 닦아야 했다.

"너 정말 미국에 가긴 가는 거냐?"

"만약 미국에 못 가면 넌 어떻게 하니?"

듣기도 싫고 대답하기도 싫었다. 또 생각하기도 싫었다. 그런 와중에 나를 더 미치게 만든 것은 폴 대위의 편지였다.

"벅숏, 너 정말 미국에 올 생각이 있는 거냐? 너무 오래 걸리는구나. 네가 싫다면 오지 않아도 된단다."

가슴이 찢어지는 것 같았다. 더 이상 미룰 수가 없었다. 그에게 그간의 사정을 적은 편지를 보냈다. 그러고 나서 한 달도 채 안 된 어느 날, 검은 지프 2대가 막사 앞에 섰다.

"신호범 씨를 찾으러 왔습니다."

그들은 나를 정중히 지프에 태우더니 외무부로 대사관으로 다니며 여권과 비자를 받아 주었다.

후에 알고 보니 폴 대위의 부탁을 받은 와킨스 연방 상원의원이 주한 미국 대사에게 연락해서 일을 주선해 준 것이었다. 이렇게 간단히 될 일을 3년 반 동안이나 기다리며 내 가슴이 짓밟히고 멍든 것을 생각하니 기가 막혔다.

양아버지에게 전화를 했다.

"비자를 받았습니다."

"고생 많았구나. 비행기표를 보내마. 곧 만나자."

전화를 끊고 돌아서려는데 헛웃음과 함께 눈물이 나왔다.

얼마 후 봉투가 날아왔다. 그 속에는 일본행 비행기표와 일본에서 미국으로 가는 배표가 들어 있었다.

침 뱉고 떠나다

1955년 9월 초, 나는 양아버지 폴 대위가 보낸 배표와 비행기표를 받아 들고는 잠시 멍했다. 마치 무지개를 잡은 기분이었다.

'드디어 무지개의 나라 미국에 가게 되는 거구나.'

표를 들고 여행사로 뛰어갔다. 그런데 그곳에서 나를 기다리고 있는 것은, 한국이 아직 일본과 수교가 되어 있지 않아 일본에 갈 수 없다는 청천벽력 같은 말이었다.

'일본으로 가지 못한다니? 그럼 미국은? 미국엔 어떻게 가지?'

다시 이리 뛰고 저리 뛰어 알아보니 부산에서 출발해 미국까지 곧바로 가는 미군 부대 화물선이 있었다. 그런데 뱃삯이 5백 달러가 넘었고 내가 가진 표를 주고도 93달러나 모자랐다.

1주일만 지나면 9월 11일, 내 비자의 만기일이었다. 양아버지에게 부탁하자니 그럴 시간이 없었다. 내 전재산인 자전거, 구두, 옷

가지 등을 다 내다 팔았지만 고작 7달러…… 턱없이 모자랐다. 하늘의 별을 따 온들 93달러나 주고 사 줄 사람이 어디 있을까?

가만히 앉아 있을 수가 없어 공연히 여기저기 돌아다녀 보았지만 빠져나갈 구멍이 없었다. 가슴은 답답해 터질 것만 같았고, 산을 보아도 하늘을 보아도 눈물이 먼저 핑 돌았다.

낳은 어머니도 나를 버렸는데 보이지도 않는 하나님이 나를 도울 리가 없다 싶어 그냥 되는 대로 살자고 작정하려니 이제까지 날 위해 애써 준 양아버지의 노력이 모두 헛수고가 되어 버리는 것에 더 미칠 것 같았다.

10일 일요일, 답답한 마음에 숙소를 나섰지만 마땅히 갈 곳이 없었다. 발길 닿는 대로 가다 보니 미8군 교회였다. 마침 회의가 있어 미국에서 책임자의 한 사람인 스미스 장로님과 로버슨 일본 선교부장이 와 있었고 3백 명이 넘는 사람이 모여 있었다.

전에 인사한 적이 있는 일본 선교부장이 나를 기억하고 다가왔다.

"반가워요. 그런데 신 군은 언제 떠나죠?"

대답 대신 고개를 숙인 채 눈물만 흘렸다.

"왜? 무슨 일이 있나요?"

"아무래도 못 갈 것 같습니다."

"아니 왜죠?"

"……"

"말해 보세요. 이유를 알고 싶어요."

잠시 후 스미스 씨가 강단에 올라갔다.

"저는 이 시간 여러분에게 중요한 부탁을 드리고 싶습니다. 우리의 형제 닥터 폴이 여기 이 청년을 입양했는데 93달러가 모자라 미국에 가지 못하고 있습니다. 따라서 오늘 이 시간 이 형제를 돕는다면 하나님께서 기뻐하실 것입니다."

그가 반짝이는 별이 2개 달린 자신의 군모를 벗어 돌리자 순식간에 2백30달러나 되는 돈이 모였다. 그 중에서 1백10달러를 나에게 건네 줄 때 모두 박수를 치며 격려해 주었다.

화물선의 출항 시간은 월요일 오전 11시였다. 시간이 없었다. 반도호텔의 사무실로 가서 'S.S 콘테스트' 라는 이름의 증기선 배표를 사고 영등포 아버지 집에 가서 별것 아닌 보따리를 들고 나와 서울역으로 가는데 눈이 팽팽 돌았다. 부산행 기차표를 사 들고 시간을 보니 아직 2시간 정도 여유가 있었다. 그제야 쿵쿵 뛰던 가슴이 가라앉으면서 서울역을 돌아보니 회한과 설움이 북받쳐 올랐다.

'서울역……. 따뜻한 햇살 아래서 옷을 벗어 들고 이를 잡던 나, 다 떨어진 거적때기 하나로 한겨울 모진 추위를 가리고 순대 꼭지 하나로 주린 배를 달래던 나, 대합실 저 높은 천장에 하늘의 별처럼 서러움과 그리움을 박아 두었던 나…….

이제 나는 그 모든 것을 추억으로 돌리고 한 서린 내 소년 시절에 마침표를 찍으며 떠난다.'

기차가 갑자기 덜커덩 움직이기 시작하자 가슴이 마구 방망이질 쳤다.

'내가 정말 배를 탈 수 있을까? 만약 못 타면 어쩌지? 돈도 없는데 서울까지 무슨 수로 돌아오지? 다시 옛날처럼 거지로 돌아가 구

걸을 해야 하나?'

어두운 차창 밖으로는 산과 집과 논밭이 스쳐 가고, 내 머릿속으로는 외할머니, 아버지, 새어머니, 친구들 얼굴이 하나하나 스쳐 지나갔다. 거지 친구들과 함께했던 날들, 피란길, 내 손바닥처럼 샅샅이 알고 있는 서울 거리의 풍경들…….

도둑기차 아닌 돈 주고 탄 기차인데도 뜬눈으로 밤을 새고 부산에 도착하자 해가 떠올랐다. 나는 마치 모험을 떠난 철없는 어린아이나 도박에 미쳐 모든 것을 다 건 사람이라도 된 것처럼 앞으로 내가 어떻게 될지 알 수도 돌이킬 수도 없다는 비장한 심사가 되어 있었다.

영도다리를 건너자 부둣가에 정박해 있는 커다란 배들이 보이기 시작했다. 순간 온몸의 피가 거꾸로 솟구치는 것 같아 속에서 "악!" 하는 비명이 터졌다.

내가 탈 S.S 콘테스트호를 찾아갔다. 유학을 가는 듯한 청년 10여 명이 꽃을 들고 가족들에게 둘러싸여 있었다. 그러나 나를 배웅하는 것은 옷자락을 스치는 바람뿐이었다. 모두들 멋지고 자신 있게 말하며 어울리는데, 차라리 혼자 있는 것에 익숙한 나는 한쪽에서 빙빙 돌며 어서 배에 오르게 되기만을 기다렸다. 내 차례가 되어 배에 오르는 순간 갑자기 두 다리가 후들후들 떨리고 온몸에 기운이 쫙 빠져 버려 얼른 두 손으로 난간을 붙들고 숨을 고른 후 간신히 배에 올랐다. 안내를 받아 들어간 선실에는 룸메이트가 먼저 와 있었다. 그는 눈치도 없이 어느 대학을 나왔느냐, 어느 대학으로 가느냐 등 내가 대답할 수 없는 것들만 골라서 물어 댔다. 그는 서울대학을 나와서 코넬 대학으로 유학 가는 김영식 씨였다.

남들처럼 갑판에 올라서서 보니 흐린 하늘에 낮게 깔린 구름 아래로 부산 시가지가 한눈에 들어왔다.

'언제 다시 한국 땅을 밟을 수 있을까?'

"뿌우웅……."

'나를 반기고 믿어 준 사람 하나 없는 이 땅을 다시는 밟지 않으리라. 거지와 이가 득실거리는 전쟁의 나라, 부정부패와 인간 차별이 만연한 무정의의 나라, 네가 나를 버렸듯 나도 너를 버리고 망망대해로 떠난다.'

부산항구가 점점 멀어지자 내 시야는 넓어져, 더럽고 지저분한 길바닥과 골목은 보이지 않고 한 폭의 아름다운 그림이 펼쳐졌다. 구름과 산이 어울리고 산과 산이 만나 병풍처럼 부산시를 감싸 주니 건물건물이 오순도순 모여 있었다.

'다시는 돌아오지 않으리라.'

침을 모아 바다에 뱉었다.

'한 맺힌 이 땅을 영원히 밟지 않으리라.'

다시 침을 뱉었다.

'너를 버리고 간다. 무지개 기다리는 미국으로…….'

또 침을 뱉었다.

제 2 장

무지개 꿈을 찾아서

별을 세다 별이 되어 3

하나 둘 셋…
수없는 별 하늘
별 잔치 벌였나
가슴 가득히 안아들이리
쏟아지는 별 하늘

엄마 아빠 아기 별
누가 달아 놓았나
외로운 이 가슴에
문 두드려 줄
내 별은 어디에

반짝 반짝 반짝
별빛 비치네
황금색 찬란한 빛줄기 타고
수정 같은 그 눈물에
광채 되어 찾아가리

새 땅, 새 하늘 그리고 새 출발

한반도가 내 시야에서 완전히 자취를 감추고 나서야 비로소 세찬 바람이 온몸을 파고들고 있는 것을 깨달았다. 배 안으로 들어와 식당으로 가서 앉자 백인 선원이 점심을 갖다 주었다. 나는 이게 웬일인가 평생 처음 당해 보는 상황이었다.

미군들에게 갖다 준다든지, 신부님께 드린다든지, 언제나 남에게 식사를 갖다 바치는 것이 내가 해 온 일인데 앉아서 받으려니 그만 얼굴이 빨개지고 말았다.

선장, 선원 10여 명, 한인 승객 10명 그리고 나를 태운 S.S 콘테스트호는 미군들이 쓸 음식 등 소품을 나르는 화물선으로 앞뒤로 크레인을 2개씩 싣고 있으나 총 1백50피트밖에 안 되는, 내 눈에만 큰 배였다.

태평양 한복판으로 나가자 배는 마치 냇물에 뜬 가랑잎처럼 무력해 보였지만 내가 믿는 폴의 하나님이 만든 바다라고 생각하니 조금은 마음이 놓였다.

좁은 방 2층 침대 위칸의 뿌연 창으로나마 밖을 내다보았으나 보이는 것이라고는 출렁이는 파도와 하늘의 구름뿐이었다. 가끔 파도가 높아 창문 위로 올라오면 곧 물에 빠질 것 같아 나도 모르게 손에 힘을 주었고, 거센 파도가 계속되면 창가가 젖어들어 한국 땅도 미국 땅도 밟지 못한 채 물귀신이 되면 어쩌나 하는 두려움에 침울해졌다.

다들 모여 떠들거나 영어로 쓰인 책을 읽곤 했지만 모두 나보다 나이도 많고 대화의 내용도 자신들의 학교나 유학에 관한 것들뿐이니 자연히 물과 기름이거나 꿔다 놓은 보릿자루로 남을 수밖에 없었다. 가끔 망대에 홀로 서서 관측하는 선원 곁에 다가가 무언의 대화를 나눴다. 스페인 사람인 그도 영어를 거의 못 했던 것이다.

식사 시간이 되면 서로 다투어 선장 옆에 앉아 한마디라도 해 보려 했으나 눈칫밥에 익숙한 나는 그들처럼 천진하거나 대담할 수 없었다. 그 시대에 그 많은 돈을 들여 유학 갔던 청년들은 지금쯤 아마도 각계각층의 중요 인물로 살고 있을 것이다.

12일 동안 낮이나 밤이나 하늘과 바다만 보다가 선장의 시애틀 도착 예고 방송이 들리자 우리뿐 아니라 선원들까지도 얼굴에 환하게 생기가 피어올랐다. 새벽에 보이는 시애틀 항구는 그림이나 환상이지 인간이 사는 현존하는 도시라고는 도무지 믿기지 않았다.

스미스 타워를 중심으로 펼쳐지는 정돈된 시가가 전등꽃으로 덮여 더욱 화사했다. 이미 지겨워진 양식이지만 모두 설레어 대충 먹고 관광을 나섰다.

짐을 싣고 오후 4시에 목적지인 샌프란시스코로 떠나기에는 시간 여유가 있었던 것이다. 양아버지께 도착지가 시애틀이 아니라 샌프란시스코라는 것을 알리는 전보를 치고 나니 4달러도 안 되는 돈만이 수중에 있었던 터라 혼자 배에 남을까 하는 생각도 했지만, 같이 어울리지는 못해도 내 동족을 따라가는 것이 아무래도 마음이 놓여 따라 나섰다. 땅을 밟는 순간에 느낀 그 안도감이라니!

흙 냄새를 맡고 싶어 흙을 찾던 나는 어이가 없었다. 길이란 길은 모두 콘크리트나 아스팔트로 덮였고 화단이나 나무 밑도 뷰리박이라는 나무 조각들로 덮어 놓았기에 흙을 볼 수도 만질 수도 없었기 때문이다.

쓰레기는커녕 먼지도 없는 것 같은 길바닥이 마치 방바닥 같았고 골목마다 야릇한 향기가 코를 간지럽혔다. 메그놀리아로 걸어가 61부두(Pier 61)에 들러 버스를 타고 시내로 들어가니 거리거리에 흑인들이 많이 보였다.

간단히 점심을 사 먹고 나니 이제 2달러밖에 안 남아 음료수도 못 사 먹고 청년들을 따라 배로 돌아왔다. 샌프란시스코를 향해 출발하는 배 안에 앉아 있자니 이제야말로 걱정과 불안에 가슴이 내려앉는 것 같았다.

'지금까지는 유학생들이라도 있었지만 배에서 내리면 나는 어찌하나? 누굴 믿고 누굴 의지하나? 그토록 바라고 기다려 얻은 미국행이지만 이제 내 앞에는 또 다른 험한 길이 기다리고 있구나!'

잠 못 이루며 걱정의 나락으로 빠져드는데 다른 청년들도 미지의 세계에 마음이 설렌 까닭일까, 밤새 누군가 왔다갔다하는 소리가 들렸다. 날이 밝으며 샌프란시스코 만으로 진입하기 위해 뱃머리가 돌려지자 모두 나와 갑판에 서서 그 아름다움에 질려 숨죽이며 바라봤다. 항로를 따라 만으로 들어가는데 양쪽 언덕이 서로 마주 보며 도시가 펼쳐져 있고 그 사이를 연결하는 붉은색 금문교가 눈앞에 다가왔다. 4마일의 긴 운하를 따라 가며 금문교 밑으로 지날 때는 모두 "와!" 하며 입을 다물지 못하고 올려다봤다. 나는 침이 말라 입맛을 다셔 댔다.

행운의 상징인 금문교를 직접 보는 사람이라면 누구나 자연의 아름다움과 인간의 노력이 조화되어 이루어 낸 세기의 역사적인 작품임을 깨달을 것이다. 그 동안 의지했던 청년들이 각기 제 갈 길로 떠나고 나도 배에서 내리니 백인 부부가 내게로 다가와 "당신이 벅숏입니까?" 하며 손을 내밀어 악수를 청했다. 백인 여자는 처음 보는데 악수라니! 게다가 곧 이어 자기가 나의 이모라고 소개하는 데 그만 놀라 버렸다. 파란 눈 노란 머리 여인이 이모라는 데 당황한 나는 납작코 검은 머리 나를 가족으로 받아들여야 할 앞으로 만날 여러 사람들이 나를 어찌 대할지 걱정이 되고 자신이 없어졌다.

금문교 언덕 너머 밀 밸리 동네에 자리잡은 이모 집은 그때 내 눈에 너무 컸고 집안은 더 으리으리했다.

신발을 벗어 들고 어쩔 바를 모르는 내게 신을 신으라고 권했지만 그 깨끗한 카펫을 신 신고는 절대로 밟을 수 없었기에 나는 끝내 말을 듣지 않았다. 애들이 학교에서 돌아오자 처음 보는 동양인인 나를 이리저리 훔쳐본다. 나도 서양 어린이들은 처음이라 훔쳐보기는 마찬가지였다.

예쁘고 깨끗한 화장실과 아름답고 화려한 그릇들 때문에 놀랐으며, 토스터에서 빵이 튀어오르는 것은 오랫동안 웃음을 잃은 나를 웃게 했다. 내 더러운 빨래들을 가져다가 세탁기에 넣고 돌릴 때는 그 문명의 이기에 탄복하였다.

저녁 식사 후 금문교와 샌프란시스코가 한눈에 내려다보이는 언덕에 올라서니 새 땅과 새 하늘이었다. 가슴을 열어 표현할 수밖에 없는 감격이 내 안에 넘쳤다.

우리 대한민국은 폐허가 됐는데 왜 하나님이 미국만 이렇게 축복하셨는지 서운한 마음이 들기도 했지만, 곧 새 땅과 새 하늘로 인도해 주신 하나님께 감사드리기로 마음을 고쳐먹었다.

내 이름은 폴 신

아무리 뒤척여 봐도 잠이 오지 않았다. 뒤바뀐 환경 때문만은 아니었다.

'한국말도 상스러운 시장바닥 말밖에 모르는데 어느 세월에 영어를 배워 공부를 하게 될까? 양아버지 가족들이 과연 나를 좋아할까?' 하는 걱정을 하다가도 아까 저녁때 언덕 위에서 본 젊은 남녀들의 자유로운 사랑 행위가 떠올랐다.

'이거 내가 상놈의 나라에 왔는가?'

뒤범벅이 된 생각 속에 거의 뜬눈으로 밤을 지새운 나는 아침 일찍 양아버지가 사는 솔트레이크 시티로 가기 위해 그레이하운드 버스 정류장으로 나왔다.

버스가 캘리포니아 주를 지나 네바다 주로 들어서니 산과 나무는 간데없고 끝없는 사막에 먼지만 흩날렸다. 혹시 아프리카 사막에 온 건 아닌가 싶어 정신을 차리고 다시 봤다.

유타 주로 다시 이어지자 온 땅이 갑자기 흰 눈으로 덮여 있었다. 웬 겨울인가 놀라며 다시 보니 분명 눈인데 눈 같지 않아 옆사람에게 물었다. 처음엔 농담인 줄 알더니 내가 어제 미국에 왔다고 하자 그제야 친절히 소금이라고 가르쳐 주었다.

수십 마일의 소금 호수도 지나며 별천지를 보다 목적지에 도착하니 양아버지와 온 가족이 마중을 나와 있었다.

방망이질하는 가슴으로 서로 끌어안자 그 동안 쌓였던 고생이 눈물로 폭발했다. 내가 우니 양아버지도 우셨다. 양어머니는 환영한다며 안아 주시지만 낯선 탓인지 어색하게 느껴졌다.

양아버지가 "네 어머니다" 하고 소개할 때 처음 바라본 양어머니의 단정한 미소에는 차가움이 깃들여 있었다. 순간 '쉽지 않겠다' 하는 생각이 들며 걱정이 앞섰다.

옆에 둘러선 세 아이는 인사도 하지 않은 채 날 빤히 쳐다보고 있었다. 그 눈 속에 나를 거부하는 빛이 역력히 보였다. 내가 먼저 멋쩍어하며 눈인사를 보냈더니 아버지의 재촉에 마지못해 "헬로!" 한다.

그때 큰아들 필립은 11세였고, 로버트는 9세, 막내 하워드는 6세였다.

나중에 안 일이지만 양어머니는 입양을 반대했고 세상의 아들들이 으레 그렇듯 이 집 아이들도 엄마 편을 든데다가 특히 필립은 장남의 자리를 난데없이 동양 사람에게 뺏기는 데 분개했다고 한다.

시내를 빠져나오며 질서 있게 움직이는 자동차들과 버스를 타려고 줄지어 선 사람들의 모습이 눈에 들어왔다.

새 가족이 모여
신호범에서 폴 신이 된 나는 새 가족과 함께 포즈를 취했다.
처음에는 잘 어울리는 강가의 조약돌들 속에 난데없이 끼여든 커다란
거친 돌 같은 나였지만 나중에는 가족을 이어 주는 끈이 되었다.
(왼쪽 끝이 필자)

차도 사람도 서울의 질서와는 너무나 달랐고 거리에 사람이 없어서인지 죽은 도시 같게도 느껴졌다. 노란 버스마다 인형 같은 어린이들을 내려 주곤 하는 모습은 재미있었다.

교외로 나오니 때는 가을이라 흰 눈 모자를 쓴 올림퍼스 산맥이 단풍으로 단장하여 어디에 주어야 할지 모르는 내 눈길을 데려갔다.

버드나무가 늘어선 넓고 긴 길을 40분쯤 달려 주택가로 들어서자 폴리 이모 집보다 더 크고 아름다운 양아버지의 새 집이 아직 잔디도 덜 깔린 채 있었다.

킥킥거리고 웃는 동생들을 무시한 채, 이번엔 아예 신을 벗어 놓고 들어가 양어머니의 안내를 받아 아래층 내 방으로 들어가니 침대와 램프, 책상, 서랍장까지 갖추어져 있었다. 옷은 사이즈를 몰라 준비 못 했다 하시는데 내가 더 미안하고 고마웠다.

곧 이어 양아버지 형님 가족과 양어머니 오빠 가족들이 왔고, 마침, 필립의 생일이라 그의 친구들도 초대되어 나를 환영하고 즐거운 시간을 보냈다. 그러나 정작 나는 즐거워할 수가 없었고 영어를 잘 못 해 대답 대신 웃음으로 시종일관했다.

그때 만난 양어머니의 올케 메릴랜드 부인은 부드럽고 인정 많은 어머니 같은 사람인데 지금까지 내가 좋아하는 사람이다.

양아버지와 메릴랜드 부인을 제외한 모든 사람은 나를 이방인처럼 보거나 무시해 버렸다.

파티가 끝나고 내 방으로 들어온 나는 거울 앞에 서서 연습했다.

"Father, father, mother."

father는 그래도 나오는데 mother를 부르자니 혼자서도 얼굴이 빨개지고 말았다.

동생들이 자러 들어가자 아버지가 나를 불렀다. "정말 잘 왔다. 오랫동안 기다렸다" 하시며 어깨를 두드려 주시니 오늘 내내 눈치 보랴 연기하랴 긴장했던 마음이 다 풀어지고 아버지 곁에 있게 된 것을 실감할 수 있었다.

"벅솟, 너를 내 아들로 호적에 올리려면 이름을 지어야겠다."

"……."

내 이름을 버려야 한다는 데에 주저할 수밖에 없었다.

"벅솟은 우리끼리나 부를 수 있는 이름이고, 호범은 미국 사람들이 발음하기 어렵지 않니? 혹시 생각해 둔 이름이라도 있으면 말해 보렴?"

떠나오긴 했지만 친아버지가 살아 계시는데 성을 바꾼다는 것이 마음에 걸렸다. 순간 괜찮은 생각이 떠올랐다.

"폴(Paull)이오."

양아버지가 벌써 눈치채고 빙그레 웃었다. 양아버지의 이름이 Ray Paull로 성이 Paull인데 양아버지의 성을 이름으로 붙인다면 내 성은 그대로 가지고 있을 수 있는 것이다.

미국 이름 중에는 Paul이라는, 발음이 똑같은 이름이 흔히 있으니 더욱 다행이었다.

"그래? 알겠다. 그런데 이제부터 뭘 할지 생각해 봤니?"

"예, 공부가 하고 싶습니다. 전 공부하는 것이 꿈에도 소원입니다."

"참 좋은 생각이다. 잘 생각했다. 네가 열아홉 살이지? 내일 아침에 고등학교에 가 보자."

당혹스러웠다.

"아무래도 고등학교는 안 될 것 같습니다. 저는 학교에 다니지 못했습니다."

"그럼 중학교는?"

"……."

"초등학교?"

대답 대신 눈물이 핑 돌았고 그런 내 손을 꼭 잡으며 양아버지가 말했다.

"상관없어!"

초등학교로 가기로 하고 방으로 들어와 침대에 누우니 가시밭에 누운 것 같다.

'앞으로의 수많은 날들을 어떻게 이겨 낼까?'

공부도 걱정이었지만 냉정한 미소와 정 없는 악수를 나눌 수밖에 없었던 저들에게 나는 분명 반갑지 않은 새 가족이었다. 다만 '앞으로 나아지겠지' 하며 스스로 달랠 뿐이었다. 도저히 잠이 오질 않아 양아버지 생각을 했다.

귀여운 아기도 아닌 나를 양자삼아 어렵게 수속하고 포탄 나르는 전방에서 안전한 명동성당에다 맡긴 아버지, 3년을 기다리며 돈을 보내 준 인류애가 넘치는 아버지, 그의 사랑하는 아내와 아들들, 그의 집, 이제부터 나도 사랑하리라. 하우스보이 실력으로 어머니를 도와 드리고 피란 때 돌보던 한국 동생처럼 업어 주고 놀아 주며 잔디 깎고 청소하여 아버지의 모든 것을 사랑하리라.

그렇게 생각하자 가슴 저 깊은 곳에서 소망이 샘솟아 평안히 나를 감쌌고, 나는 정말 오랜만에 잠이 들었다.

미안합니다, 열아홉 살이군요

학교 가는 날!

눈뜨자마자 번뜩 스치는 생각이었다.

상상이나 꿈 속에서만 가능했던 일인데 오늘 내가 학교를 간다.

창 밖을 내다보니 갖가지 색깔로 물든 올림퍼스 산 위로 붉은 태양이 머리를 내민다. 시애틀이나 샌프란시스코와는 비교가 안 되지만 아버지 동네도 이렇게 감동을 주는구나 하는 생각에 정겹게 느껴졌다.

조심스레 거실로 나오니 양어머니가 벌써 일어나 아이들 학교 도시락인 샌드위치를 싸고 있었다.

"굿드 모닝!"

굳은 발음으로 인사하자 씽긋 웃으시며 아침으로 뭘 먹겠느냐고 물었지만 나는 우물쭈물하다 말았다.

동생들이 학교에 간 후 전형적인 미국의 아침식사인 달걀 프라이, 베이컨, 토스트를 아버지와 나누어 먹으며 설거지하는 어머니 쪽을 자꾸 보게 됐다. '오늘은 좀 그렇고 내일부터 설거지는 내가 해야지' 하고 마음먹었다.

학교를 가려는데 입고 갈 옷이 없었다. 한국에서 입고 온 옷이 이곳에선 너무 안 어울렸기 때문이다.

먼저 옷가게에 들러 내게 바지와 점퍼를 사 입히고 붉은 구두를 사 주신 아버지는 나를 보며 "새 사람이 됐다"고 좋아했다.

생전 처음 신사화를 신어 본 나는 이리저리 걸어다녔다. 구체적인 말로 감사하는 대신 히히거리며 웃다가 곧 쑥스러워졌다.

초등학교를 찾아가 교장실로 들어선 아버지가 어제 한국에서 온 아들이라고 나를 소개하자 몇 살이냐고 나이부터 물었다. 열아홉이라고 답하자 교장 선생님은 참지 못하고 껄껄거리며 한참을 웃었다. 예기치 못한 반응에 당황한 아버지와 내게 "I am sorry!" 하더니 그 나이라면 고등학교에 가 보라고 권했다.

아버지는 태연한 척 휘파람을 불며 중학교로 차를 몰았지만, 나는 순탄할 것 같지 않은 내 앞길에 대한 불안감에 침울해졌다. 아버지는 그런 나를 중학교에선 받아 줄 거라는 말로 안심시켰다.

그러나 중학교에서도 마찬가지로 거절이었다.

"열아홉입니다."

"I am sorry!"

절망의 빛이 역력한 내게 "이제 고등학교에 가자" 하신 후 차를 돌렸지만 아버지도 이제는 자신이 없으신 듯 고등학교에 도착할 때까지 한마디도 못하셨다.

마침 점심 시간이라 교장실에 안 계신 교장 선생님을 찾아 운동장으로 나오니 수박을 잘라 풋볼 선수들에게 나누어 주는 교장 선생님이 보였다.

당연히 점잖고 엄격한 사람으로 고정되어 있는 한국의 교장 선생님에 반해 참으로 다른 모습으로 비친 미국의 교장 선생님이었다.

아버지가 걸어가 인사한 후 설명하시자 짧은 침묵이 이어졌다. 그리고 마침내 올 것이 오고야 말았다.

"I am sorry!"

순간 땅이 꺼지고 하늘이 무너지는 느낌이었다.

"초등학교도 중학교도 나오지 않았다면 이곳에서는 받아 줄 수 없습니다. 유감입니다."

인간으로 태어나 제대로 된 교육 한번 받아 보지 못한 것은 물론이고, 자라는 동안 어미의 보호를 받는 동물만도 못했던 내 삶에 양아버지가 나타나 무지개 꿈을 꾸게 하였다. 수년을 가슴 졸이며 무지개를 찾아 오늘 이 자리까지 왔건만……. 그 무지개가 안개처럼 내 손에서 사라지는구나. 이렇게 나를 조롱하며 달아나는구나.

내 입에서는 저도 모르게 비명 같은 통곡이 터져나왔다. 이제는 더 이상 아무 희망도 남지 않았다. 가릴 것이 없었다.

교장 선생님은 내 등을 토닥이며 딱하다는 표정으로 물었다.

"그만 진정하고 왜 우는지 말해 주겠나?"

"제가 미국에 온 것은 공부가 하고 싶었기 때문입니다. 그런데 이제 그 꿈이 사라졌습니다."

더듬대는 영어로 설명하자 손수건을 건네 주시며 말을 잇는다.

"자네 정말 그렇게 공부가 하고 싶은가?"

"그렇습니다. 남들처럼 공부해 보는 것이 제 꿈이고 소원입니다."

"그래? 음, 만일 자네가 특별 교육 프로그램인 검정고시(GED : General Education Degree)에 합격한다면 고등학교를 졸업한 것으로 인정받아 대학에 들어갈 자격을 얻게 되는데 한번 해 보겠나?"

뜻도 다 모르면서 뭔가 길이 열리는 듯하여 'Yes'로 대답하자 "I love you" 하며 안아 주었다. 이분이 바로 내 인생의 두 번째 획을 긋게 해 준 케니스 화 박사님이다.

그 자리에서 영어 교사인 에번스 부인을 불러 나를 소개한 후 매일 2시간씩 특별 지도를 당부했다. 내일부터 시작하기로 하고 "생큐"를 연발하며 교장실을 나와 레스토랑으로 간 아버지와 나는 마음놓고 점심을 먹을 수 있었다.

"이제 학교에 다니게 됐으니 스쿨 쇼핑을 가자" 하신 아버지는 쇼핑 센터로 나를 데리고 가서 가방, 책, 공책과 펜 등 여러 가지 학용품을 사 주었지만 어린애처럼 마음놓고 좋아할 수도 그렇다고 무뚝뚝하게 있을 수도 없어 곤란했다.

집으로 돌아오는 차 속에서 나는 날아갈 듯한 기분이었다. 저 멀리 사라졌던 무지개가 바로 내 가슴 속에 자리잡아 나를 날아오르게 하는 것 같았다.

피나는 고학의 기회

정식 학생은 아니지만 학교 가서 공부할 수 있는 꿈 같은 나날이 시작됐다.

아침 6시에 일어나서 학교 도서관에 가면 7시, 예습을 하다가 에번스 선생님이 쉬는 시간을 이용해 빈 교실에서 영어부터 배우기 시작했다.

배운다, 공부한다, 그 자체도 감격스러웠지만 따뜻하고 친절한 에번스 선생님의 개인 지도가 너무 고마워 잠시도 한눈을 팔 수가 없었다.

4시에 끝나면 다시 버스를 타고 돌아와 집안일을 도왔다.

하루에도 2통씩 나오는 동생들의 빨래와 다림질, 청소는 내게는 너무 익숙한 일이었다. 공부할 시간을 뺏기는 것은 아쉬웠지만 어머니와 동생들이 하루빨리 나를 진정한 가족으로 받아들여 주었으면 하는 마음에 최선을 다했다.

낮에는 치과 의사로 저녁에는 의과 대학 교수로 바쁘신 아버지는 밤 10~12시까지 학교에서 못 배우는 수학, 물리, 화학을 가르쳐 주었다. 나는 그런 아버지의 수고에 보답하기 위해 복습을 하다가 새벽 3시가 되어서야 잠들었다.

그때 시작된 하루 3시간 수면 습관은 선교사 때나 군대 시절을 제외한 23년 동안, 곧 내가 박사학위를 따던 때까지 계속되어 잠을 실컷 자 보는 것이 내 소원 중 하나가 되었다.

다행히 한국에서 가지고 간 사전이 있어 모르는 단어를 찾아가며 공부해 보았으나 영어 단어만 찾다 1시간에 1페이지도 못 나가기 일쑤였고 더 답답한 것은 한국말조차 뜻을 모를 때였다.

열심히 외운 단어들은 돌아서면 기억이 안 나고, 이제는 됐다 싶은 단어들은 잠자고 일어나면 까맣게 잊어버렸다. 그 시절의 나는 아무리 채워도 차지 않는 밑 빠진 항아리라고 표현하면 될 것이다. 쓸데없는 짓인 줄 알면서도 너무 답답한 마음에 사전을 찢어 태운 재를 물에 타서 마신 적도 있었다. 공부에는 전혀 도움이 되지 않았지만 어쨌든 기분만은 후련했다.

나 때문에 돈을 쓰시는 아버지께 도움이 되고자 과수원 사과 따기 아르바이트를 시작했다.

10상자 따면 1달러 60센트를 받았는데, 보통 3시간이 걸렸다.

학교에 가지 않는 어느 토요일, 하루 종일 나무를 오르락내리락하다 다리가 후들거려 더 이상 나무에 올라갈 엄두가 나지 않았다. 멍하니 사과나무만 올려다보다가 갑자기 어릴 적 사과나무를 흔들어 따던 생각이 나서 힘차게 흔들었더니 후두득후두득 사과가 떨어져 쉽게 상자를 채웠다.

일과가 끝나 주인에게 1백40상자를 땄다고 말했더니 자기 귀를 의심하는 듯했다. 흔들어 땄다고 설명하자 노발대발하며 당장 물어 내고 나가라는 것이 아닌가. 알고 보니 미국에서는 사과에 조금만 흠집이 있어도 상품이 될 수 없다고 한다. 다행히 물어 내진 않았지만 힘없이 돌아왔다.

에번스 선생님의 자상한 지도와 교장 선생님의 격려로 하루도 빠짐없이 학교에 가기는 했지만 학생들은 누런 피부 색깔의 유일한 동양인인 나를 동물원 원숭이 보듯 쳐다봤다.

어떤 심술맞은 학생은 화장실에서 손 씻는 내게 씻어도 희어지지 않으니 아예 씻지도 말란다. 그러나 그럴수록 '반드시 승리하여 한국인의 뛰어남을 보여 주리라' 하며 두 주먹을 불끈 쥐었다.

어디를 가도 외톨이일 수밖에 없는 나는 교회에서도 마찬가지였다. 내게 관심을 보이며 묻는 말조차 귀에 거슬렸다. 한국에도 이런 과일이 있느냐, 이 빵을 한국에서도 먹어 봤느냐 하는 따위의 질문을 듣고 있자니 비록 내가 침 뱉고 떠나온 한국이지만 내 조국이 무시당하는 것에는 화가 치밀었다.

'내 나라에서는 집 없고 배우지 못해 따돌림당했는데 이제는 이방인이라고 무시를 당하는구나!'

한겨울이 지나고 봄이 되기까지 우리 집은 새 단장을 했다.

잔디 깔고 나무 심고 벽 청소에 울타리 치기…….

동네 사람들은 폴 박사 집에 머슴인지 아들인지가 들어와 새 집을 만들었다고 부러워했다.

기쁨을 맛보는 순간들도 있었지만 내 눈은 늘 젖어 있었다.

아무리 치워 주고 빨래를 해 줘도 동생들은 나를 좋아하기는커녕 가까워지려는 노력조차 안 하는 것 같았고, 늘 고맙다는 말은 하지만 냉정한 어머니를 쉬게 하고 설거지를 할 때는 괜스레 콧날이 시큰거렸다.

온 가족이 모인 단란한 저녁 시간엔 슬그머니 내 방으로 내려와 창 밖의 검은 산 위에 떠올라 있는 밝은 달을 보았다. 내 외로움과 설움을 아는지 왠지 달도 외로워 슬퍼하는 것 같았다.

4월이 되자 검정고시에 합격할 경우를 대비해 일을 시작했다. 등록금을 마련해야 했기 때문이다.

솔트레이크 시내에 있는 유타 호텔 접시닦이였다.

얼마 지나지 않아 나의 성실성을 높이 산 매니저가 손님들의 빈 접시를 부엌으로 날라 주는 버스 보이로 승진시켜 주었다.

6시간 일하고 집에 오면 12시, 녹초가 된 몸으로 책상 앞에 앉았다. 아버지의 위로와 격려, 가르침은 나를 소생시키고 새 힘을 불어넣어 주었는데 그 무렵 나는 아버지를 못 만나는 날이 자주 생겨 더욱 메마르고 지쳐 갔다.

하는 일마다 실수투성이였다. 테이블의 소금과 설탕을 반대로 담아 짠 커피에 놀라고 달콤한 스테이크 맛에 놀라 웨이터를 부르는 소동이 나기도 했고, 음식 찌꺼기가 담긴 접시를 실은 손수레를 끌고 가다 잠깐 조는 바람에 벽에 부딪쳐 옆에 앉아 있던 귀부인에게 그릇 세례를 퍼부은 일도 있었다. 귀부인은 놀라 비명을 질렀고, 나는 옷 속의 음식물 찌꺼기를 꺼내 줄 수도 그냥 보고만 있을 수도 없어 그 자리에 얼어붙어 버렸다. 그 순간 매니저가 뛰어와 소리쳤다.

"You are fired!(너는 해고야!)"

보따리를 싸 들고 돌아오는 길, 집으로 돌아갈 일도 잊은 채 들판에 서서 광활히 펼쳐진 도시를 바라보았다.

'저 수많은 빌딩과 집에 사는 사람들은 행복이란 걸 알고 있겠지?'

손을 잡고 기도했다.

'하나님, 왜 내 앞에는 이다지도 고생문만 열립니까? 하나님까지도 나를 따돌리시나요?'

눈을 들어 수많은 별로 수놓아진 하늘을 보았다. 구름이나 수증기가 없는 사막의 하늘이고 고지대인 까닭에 하늘이 가깝고 맑아 큰 별, 작은 별, 은하수까지도 육안으로 보였다. 내 기도는 다시 이어졌다.

'그래도 기회를 주셔서 감사합니다.'

다음 날 아침 매니저에게서 전화가 왔다.

저녁에 다시 일하러 나오라는 것이다. 그 부인 앞에서는 나를 해고시켜야 위로가 된다며……. 다시 바쁘고 피곤한 하루가 시작됐다.

그 무렵 나의 입술은 늘 부르트고 갈라져 피가 났고 코피는 하루에도 수없이 터져 손수건으로는 감당하지 못해 언제나 티슈를 넉넉히 갖고 다녔다. 나중에는 얼굴까지 터져 피가 났다. 글자 그대로 피나게 공부했다.

건너편 산에 조금씩 단풍이 물드는 9월 말, 드디어 검정고시 시험날이 왔다.

"Good luck!"

어머니의 격려를 받으며 집을 나섰다. 시험장인 유타 대학에 도착할 때까지 아버지와 나는 긴장해서 아무 말도 할 수가 없었다.

"너는 할 수 있다. 그 동안 얼마나 열심히 했는데."

그렇게 격려해 주시는 아버지를 뒤로한 채 굳어진 다리로 시험장에 들어서니 나말고 2명이 더 있었다.

'영어도 잘 모르는 내가…… 기초도 없는 내가…….'

합격은 불가능하다는 생각에 거의 낙심한 채로 시험을 치르는 동안 등에는 진땀이 나고 손에 쓸데없이 힘이 주어져 애꿎은 연필만 자꾸 부러뜨렸다.

'하나님, 배운 것이 기억나도록 도와 주세요.'

5시간에 걸쳐 시험을 치르고 나니 합격 여부를 떠나 속이 후련해졌다.

'설마 내가…… 그래도 혹시……' 하며 초조해 하는 가운데 1주일이 지났고, 어머니가 봉투를 가지고 내 방으로 들어왔다. 봉투를 뜯는 그 순간, 내 심장은 거세게 고동치고 있었다.

'Pass(합격)'라는 글자에 눈길이 멈추자 심장이 멎은 듯 숨을 쉴 수 없었다.

어머니는 그 동안 나를 믿지 않았기에 진정 놀라며 축하해 주었고 소식을 들은 아버지는 직장에서 당장 달려왔다.

"내 그럴 줄 알았지. 정말 장하다 장해."

아버지는 나를 껴안고 어쩔 줄 몰라했다.

하나님, 양부모님, 별, 달, 산, 나무…… 모든 것이 새롭고 고마워 마음 가득히 감사했다. 무엇보다 아버지를 실망시키지 않은 것에 살맛이 났다.

첫 데이트와 미스 아메리카

검정고시에도 합격했겠다, 이젠 매사에 자신감을 갖고 더 열심히 공부하고 일하리라 마음먹었다.

유타 대학에 들어간 나는 못 알아듣는 강의에 풀이 죽고, 유일한 동양인임에 기가 꺾였지만 이를 악물었다. 아버지는 그런 나를 도와 주고 싶어했지만, 나를 입양한 것만으로도 남모르는 고생이 많다는 것을 알기에 경제적인 문제라도 내 힘으로 해결하고 싶었다.

호텔 식당 버스 보이, 학교, 집안일…… 하루에 3시간밖에 자지 못하는 생활이 계속됐다.

그래도 전과는 달리 마음에 여유가 생겨 주말이면 동생들을 데리고 나가 맛있는 것을 사 주곤 하자 빨래를 해줄 때보다는 좀더 나를 따르는 듯했다. 그런 동생들을 보며 이것도 돈의 위력인가 보다 하는 생각이 들었다.

공부와 일밖에 모르던 내 생활에도 하나 둘 잊지 못할 사건들이 생기기 시작했다.

어디서 한국 사람들이 쌀을 즐겨 먹는다는 말을 들은 어머니가 쌀에 설탕과 크림을 잔뜩 넣은 쌀푸딩을 만들어 주었다. 맛있다고 먹었더니 날마다 주는 바람에 한동안 남몰래 고역을 치렀다.

또 아침이면 당연히 다들 먹는 달걀을 나한테는 먹겠느냐고 따로 묻곤 했다. 달걀은 한국에서는 구경도 하기 힘든 귀한 것이기에 먹고 싶었지만 양보하는 마음에서 싫다고 했다. 그런데 정말 내가 달걀을 싫어하는 줄 알고 나중에는 아예 묻지도 않았다. 때문에 나는 달걀 먹는 것에 익숙하지 않게 되었고 수십 년이 지난 지금까지도 달걀을 잘 안 먹는다.

어느 일요일, 어렸을 때처럼 내키는 대로 걸어 보고 싶어서 산보를 나갔다가 길을 잃었다. 생각없이 걷다 보니 너무 멀리 갔는지 아무리 둘러봐도 집이라고는 한 채도 보이지 않았다. 한참을 헤맨 끝에 어떤 사람의 도움으로 간신히 집을 찾는 소동을 벌이기도 했다.

어느 날은 늦은 밤 집으로 돌아오는 길에 술냄새와 노린내에 절어 쓰러져 있는 알코올 중독자를 빈민가까지 업어다 주었다. 집에 돌아왔을 때는 벌써 날이 밝고 있었다. 처음으로 아버지에게 호된 꾸중을 들었다. 위험한 사람들이니 가까이하지 말아야 한다는 말에, 만일 아버지를 만나지 못했다면 그 모습이 바로 나의 모습이 아닐까 하는 씁쓸한 생각이 들었다.

어느 날 아버지가 내게 뜻밖의 제안을 했다.

"너무 공부만 해도 능률이 안 오르고, 너무 일만 해도 늙어서 후

나의 첫 데이트 파트너, 샬럿 양

금발에 푸른 눈을 지닌 전형적인 미국 미인이었던 그녀는 따뜻한 마음과 세련된 매너로 나를 압도했지만, 자신이 없는 나는 오히려 뒷걸음질치고 말았다. 훗날 그녀는 미스 아메리카가 되었다.

회한다. 너도 더 늦기 전에 데이트도 해 봐야지? 내가 이 동네에서 제일 예쁜 아가씨를 벌써 준비해 놨다."

어리둥절해 있는 내게 치과 대학 친구의 딸인 샬럿 세필드라고 일러 주었다. 또 유타 호텔 식당에 저녁 예약도 해 놓았다며 극장표까지 2장 꺼내 주었다.

주말이 되자 금발에 푸른 눈, 날씬한 몸매, 백옥 같은 이…… 어느 것 하나 흠잡을 것이 없는, 그림 속에서 금방 튀어나온 듯한 아가씨가 운전도 못 하는 나를 데리러 우리 집 앞에 나타났다. 그녀는 그 지방의 로데오 여왕이자 미스 유타인 아가씨였으니 내가 놀라는 것은 당연했다.

"좋은 시간들 가져라! 일찍 들어오면 문 안 열어 준다."

너무 긴장한 탓인지 무릎이 뻣뻣해져 어색한 걸음으로 샬럿의 차에 올랐다.

"한국에 가 보고 싶으세요?"

"노."

"공부하기 힘드시죠?"

"예스."

"영어가 좀 어렵죠?"

"예스."

"한국 음식 먹고 싶겠네요?"

"예스."

샬럿은 어쩔 줄 몰라 쩔쩔매는 나의 긴장을 풀어 주려고 최선을 다했다. 유타 호텔 식당에 들어서자 사람들의 시선이 금방 우리에게 쏠렸다. 그녀가 미스 유타인 것을 알아보는 사람도 있었지만 걸

맞지 않은 파트너인 행색 초라한 동양인인 나를 못마땅하다는 듯 아래위로 훑어보는 사람이 더 많았다.

일개 버스 보이인 내가 유타 최고의 미인과 함께 나타나자 놀란 매니저가 토끼눈을 하고 달려왔다.

"폴, 웬일이야? 너 어떻게 된 거야?"

자리에 앉았지만 한번 달아오른 얼굴은 식을 줄을 몰랐다. 매니저는 우리의 관계가 궁금한 것인지 아니면 미스 유타를 가까이에서 보고 싶은 것인지 연신 우리 자리를 기웃거렸다.

마침내 대화를 포기한 듯 샬럿은 이러쿵저러쿵 자기 얘기를 늘어놓으며 분위기를 바꿔 보려고 애쓰고 있었다. 아름다울 뿐 아니라 상냥하고 천진스러운 모습에 취해 먹는 둥 마는 둥 식사를 마쳤다.

"다음엔 어디로 갈까요?"

"글쎄요."

"그래도 가고 싶은 곳이 있으면 말해 봐요."

"……."

"어디로 가면 좋겠어요?"

"집으로 가지요."

"네? 집에요? 정말이세요?"

"네! 집으로 가요."

기가 막힌 듯 어처구니가 없는 듯 잠시 말을 잃고 있던 그녀는 할 수 없다는 듯 타박타박 차로 걸어갔다. 주머니 속의 극장표만 만지작거리다가 숙녀에게는 차문을 열어 주어야 한다는 신사의 첫 번째 규율도 잊은 채 허둥지둥 차에 올랐다.

돌아오는 길에도 샬럿은 밝은 표정으로 얘기를 건넸지만 나는 여전히 "예스"와 "노"로 일관했다.

현관문을 두드렸더니 아버지가 깜짝 놀라 문을 열어 주었다.

내 애기를 들은 아버지는 답답하다는 듯 고개를 절레절레 흔들더니 나를 앉혀 놓고 미국에서의 데이트 철칙을 일러 주었다.

첫째, 여자를 여왕처럼 모실 것.

둘째, 여자를 밤 12시 전에는 절대 집으로 돌려 보내지 말 것.

여자가 아무리 마음에 들지 않아도 이 2가지는 반드시 지켜야 하는 남자의 의무라고 했다.

1주일 후 샬럿의 전화가 왔다. 이번에는 자기가 초대하는 거라며 캐주얼 차림으로 오라고 했다. 아버지가 나를 그녀의 집까지 태워다 주었고 우리는 크레이지 렌치라는 승마장으로 갔다.

"말 탈 줄 아세요?"

순간 '까짓 거!' 하는 생각에 "타 보죠" 했더니 잘생긴 검정말을 끌어다 주었다.

남들이 탈 때는 쉬워 보였는데 막상 올라타니 땅바닥이 아득했다. 마치 장대 꼭대기에라도 올라앉은 듯 현기증까지 났다. 느긋하게 앉아 앞서가는 샬럿을 따라가고 싶었지만 말은 내 속도 모르고 꼼짝도 하지 않았다. 그때 영화에서 본 것이 생각나 고삐를 힘껏 잡아당겼다. 느닷없이 코를 잡아당기자 놀란 말이 갑자기 펄쩍 뛰어올랐다. 나는 아무 대책 없이 멀리 나가떨어져 엉덩방아를 찧고 말았다.

"폴! 말 탈 줄 모르는군요?"

놀라서 쫓아온 샬럿의 추궁을 멋쩍은 웃음으로 얼버무리며, 즉석에서 샬럿을 승마 개인 교사로 모신 것은 물론이었다. 승마를 가르쳐 주겠다는 제안을 받아들일 수밖에 없었다.

조금 지나니 다리가 마비된 듯 뻣뻣해지고 허리도 아프고 엉덩이도 쑤시고 온몸에 성한 곳이 없었다. 영화 속의 멋쟁이 카우보이들이 불쌍해질 지경이었다. 차로 돌아와 케이크와 수박을 권하는 샬럿의 따스하고 섬세한 마음씨에 그녀의 아름다움이 더욱 돋보였다.

그 이후로 우리는 친해졌고 양쪽 집을 오가며 즐거운 시간을 보냈다. 그러나 학교에서는 먼발치에서라도 그녀가 보이면 슬며시 숨거나 도망가기에 바빴다.

우리는 매주 교회에서 만나고 전화나 편지로 서로를 격려하며 더 가까워졌지만 다음 해에 내가 일본으로 선교 활동을 떠나면서 교류가 끊겼다.

미스 아메리카로 뽑힌 샬럿은 세계일주를 하게 되었고 일본에 오는 길에 나를 만나고 싶다는 편지를 보내왔다. 개인 행동이 허락되지 않는 선교사의 몸이었지만 선교부장의 허락을 받아 도쿄 선교본부로 찾아온 샬럿을 만났다.

그녀는 예전보다 더 아름다워져 눈이 부실 지경이었다. 아마 미스 아메리카라는 신분 때문이었을 것이다.

"내가 미스 아메리카가 된 거 어떻게 생각하세요?"

"사실 나는 걱정스럽습니다. 대부분 화려한 모델이나 스타가 되면 돈과 인기에 휘둘려 결국 불행하게 되지 않습니까?"

"고마워요. 그렇지만 걱정하지 마세요. 난 평범한 사람이고 앞으로도 평범하게 살 거예요."

우리는 파트너 선교사의 못마땅해하는 시선을 무시한 채 뜨거운 악수를 나누고 헤어졌다.

미국으로 돌아와 대학에 다니고 있을 때 살럿의 청첩장을 받았다. 그녀의 말대로 남편은 평범한 고등학교 교사였다. 결혼식장에서 그녀는 하객들에게 거리낌없이 나를 한국인 친구라고 소개했고, 이후에도 우리는 만나면 언제나 반가운 친구로 남았다.

몇 년 후 그녀 집에 초대받은 나는 너무나 변한 그녀의 모습에 정말 놀랐다. 옛날의 그 몸매와 얼굴은 간데없고 세 아이의 어머니로 살림꾼이 되어 열심히 살고 있었다.

지금 그녀는 여섯 자녀의 어머니로, 그보다 많은 손주 아이들의 뚱보 할머니로 행복하게 살고 있다.

네가 바로 조선놈이구나

힘겨웠던 대학 첫 학기가 끝나고 크리스마스를 맞았다. 하우스보이 시절 미군들이 소나무에 오색 등을 달고 파티를 할 때나 폴 대위가 선물을 줄 때도 이 사람들이 왜 이러는지 이유를 알 수 없었으나 이번 크리스마스는 참으로 뜻깊게, 감사한 마음으로 맞았다.

벌레만도 못했던 내 인생이 껍질을 벗고 나비가 되어 양아버지의 나라 미국으로 날아와 이렇듯 대학에 다니며 일도 하고 무엇보다 신앙 안에서 살 수 있음에 감격 속에서 맞는 크리스마스였다.

그때 나는 교회에서 초청장을 받았다.

선교사로 일해 달라는 초청이었다. 한국의 모든 젊은이들이 군대 영장을 받듯 교회의 선교사로 봉사하기를 원하는 모든 젊은이들이 초청장을 받았고 부름에 나선 사람은 2년간 선교를 위해 봉사를 하게 되는데, 100% 자비 부담이고 갔다 오면 평생 자랑으로 여기게 된다.

내가 선교사로 부름받았음을 안 아버지는 자신의 옛 이야기를 털어놓았다.

알코올 중독자 할아버지가 평생 일을 하지 않아 할머니가 혼자 피아노를 가르치며 돈을 벌어 다섯 형제를 키웠고, 막내 아들인 아버지는 대학도 못 가 군대에 들어간 다음 군대 장학금으로 공부를 하여 치과 의사가 되었다는 것이다.

그런 까닭에 선교사로 일할 때를 놓친 것이 평생 한이라고 했다.

"네가 만일 선교사로 나간다면 내가 도와 주마. 그럼 내 한도 풀릴 거야"

"제가 아버지 대신 다녀오겠습니다."

그 동안 유타 호텔에서 일해 모은 돈과 여름 방학 때 뙤약볕 공사판에서 번 돈을 계산해 보니 2년간 선교 생활 비용의 20%는 충당이 되는 돈이었다.

술, 담배는 물론이며 수영이나 댄스 등의 오락도 금하고 데이트까지도 할 수 없는 철저한 금욕생활로 성경 공부와 전도, 봉사로 일과가 빽빽이 짜여 있었다.

나는 한국으로 가고 싶은 마음에 극동 선교부로 지원했기에 극동 선교본부가 있는 도쿄에 먼저 가야 하는데, 아직 영주권밖에 없었기 때문에 그만 하와이로 가게 되었다.

내 한국 여권으로는 한국과 수교가 안 된 일본 입국이 불가능해 미국 여권이 나올 때까지 하와이에 머물게 된 것이다.

하와이는 사막과 소금바다인 유타에 비하면 천국이요, 낙원이었다. 녹색 산, 푸른 바다, 따사로운 햇볕, 넘실거리는 인파…….

일본에서의 선교활동

원수를 사랑하는 법을 터득하게 한 일본이었다. 멸시와 차별의 하루하루 속에서도 웃음을 잃지 않고 자전거 바퀴를 굴리며 희망을 향해 달려갔다.

그때 나는 하와이 원주민들에게 반해 버렸다. 이해 타산 없는 눈빛, 순진한 미소, 낙천적인 생활 태도……. 그러나 미래에 대한 도전이나 배움에 대한 열망이 없어 아주 눌러살고 싶진 않았다.

우리 선교 팀은 원주민들의 집집마다 문을 두드렸고 전도와 동네 길 청소, 병원에서 불구자들 돕기 등으로 봉사했다.

마침내 3개월 후 교회의 도움으로 비자를 받은 나는 일본 요코하마 항구에 내리게 됐다.

도쿄로 들어가는 1시간 30분 동안 차창 밖으로 일본을 느꼈다.

황폐한 거리, 파손된 건물, 굳은 표정의 사람들……. 차창 밖으로 펼쳐진 일본의 모습에는 아직도 전쟁의 상처가 그대로 남아 있었다.

거리를 걷는 남자들 대부분이 안경을 쓰고 있는 것을 보니 어릴 적 서울역 대합실에 툭하면 나타나 거지 소년들을 발로 차고 몽둥이질을 하던 일본 순사들의 모습이 떠올라 나도 모르게 눈살을 찌푸렸다.

내가 한국에 가고 싶어 극동을 지원했다는 것을 알고 있는 선교부장이 나를 불렀다.

"한국에 가기를 원한다는 것을 알고 있네. 그렇지만 폴 형제는 아직 나이가 어려 한국에 갔다가는 언제 군대에 끌려가게 될지 모르네. 그렇다고 한국 사람들을 멸시하고 싫어하는 일본에 있자면 고생이 심할 텐데……."

그토록 벗어나고 싶어했던 한국이었지만 그 동안 고국을 향한 그리움은 하루도 내 가슴을 떠난 적이 없었기에 꼭 가고 싶었다. 그렇다고 무작정 갔다가 만에 하나 문제가 생긴다면 어쩔 것인가?

"제가 선교사로 나선 것은 봉사하려는 것이지 대접받으려는 것이 아닙니다. 선교부장께서 결정해 주시면 어디에서든 최선을 다하겠습니다."

결국 항구를 끼고 있는 국제 무역 도시이며 중국 화교들이 많아 음식 문화가 발달한 향락 도시인 요코하마로 결정되었다.

3개월 동안 일본말을 집중해서 공부해 일본어로 대화가 가능한 나는 1년 후에나 될 수 있는 선배 선교사로서 후배 선교사를 데리고 일하게 되었다.

야마가타로 발령을 받아 선교지를 옮긴 어느 날 전도를 나갔다. 걸어가는데 아주머니 한 사람이 밖에서 쌀을 씻고 있다가 "너 조선놈이지?" 한다. "예! 그렇습니다." 하자 갑자기 쌀뜨물을 확 끼얹는다. 나는 졸지에 뜨물 벼락을 맞아 얼굴과 옷이 엉망이 되었고, 후배 선교사는 어리둥절해했다.

지금도 한국 사람에 대한 차별이 심한 일본이지만 이승만 대통령이 집권하던 그때는 한일 관계가 최악의 상태로 치닫고 있었다.

일제 강점기 때 한인 광부들이 많이 왔던 오카야마에서 선교할 때의 일이다.

어느 집 대문을 두드리니 할아버지 한 분이 나오신다.

"네가 바로 조선놈이구나!"

그렇다고 대답하자 안으로 들어가더니 송아지만큼 큰 개를 데리고 나와 나를 가리키며 "물어라!" 한다. 그러자 갑자기 그 개가 나를 덮쳐 사정없이 물어뜯어 내 옷은 다 찢기고 다리와 팔에 온통 상처가 났으나 다행히 얼굴은 가방으로 가려서 안 다쳤다. 덩치 좋은 후배 선교사도 사나운 개 앞에서는 아무 쓸모 없었다.

여러 주가 지나 상처는 나았지만 내 마음 속의 상처는 오래도록 아프게 찔려 왔다. 아픈 상처를 느끼며 혼자 외쳤다.

'당신 같은 사람도 하나님을 만나면 변화될 텐데……'

일본은 밖으로는 제국주의 사상에 젖어 있고 안으로는 자신들의 신인 천황을 중심으로 똘똘 뭉쳐 있어 하나님이 들어설 자리가 없었다.

그러나 개개인들에겐 배울 점이 많았다. 사무라이 정신에 뿌리를 둔 그들의 의리와 충성심, 단순하고 뜨겁게 사랑하는 인간 관계, 무엇보다 여자들이 훌륭했다. 한국 여인의 대명사인 질투와 바가지 대신에 겸손과 헌신, 순종과 부드러움은 일본 여자의 것이었다.

허소야 시마이 자매는 성격이 활달하고 적극적인 여성으로 우리나라의 판소리 격인 일본 전통 가무 '가부키'에서 춤추는 여자다.

그녀는 6주 동안의 성경 공부를 끝내고 교회에 등록하였다.

평소의 습관을 버리고 성결의 삶을 살기로 작정한 그녀는 세례받기 전날, 다과회를 열고 과거 친구들과 나를 초청하여 자신의 결심을 알리고 마지막으로 차를 마시며 과거의 취미들과 결별하였다.

그 이후 그녀는 가족들을 전도하여 40명이 넘는 가족을 교회로 인도했고, 지금까지 나와 카드를 주고받는 의리의 친구다.

두 살배기부터 줄줄이 세 자녀를 키우는 다소곳한 여인 토미 자매가 울며 이야기했다.

"남편이 내가 개종을 하면 이혼하겠다 하더니 정말 집을 나가 버렸습니다."

참으로 난감했다.

'어린 자녀 셋을 데리고 당장 어찌 먹고 사나? 나로 인해서 한 가정이 깨지다니!'

생각이 여기에 이르자 마음이 한없이 무거웠지만 내가 할 수 있는 것은 기도 외에는 아무것도 없었다.

종이 공장 부사장이었던 남편은 평소 착실하고 좋은 사람이었다. 갑자기 살 길이 막막해진 토미 자매는 집집마다 다니며 빨래를 해 주고 돈을 받았다.

두 살배기는 업고 네 살배기는 걸리며, 추운 겨울 눈 쌓인 길을 나막신 신고 다니는 그녀를 차마 가슴아파 볼 수 없었다. 또한 매주일 아이들을 예쁘게 단장해서 교회에 나와 예배드릴 때는 미안해서 죽을 지경이었다.

일본 선교사 기한을 마치고 요코하마 항구를 떠날 때, 토미 자매는 세 자녀와 함께 기차를 타고 와서 전송해 주었다. 서로 울며 돌아섰고 그녀가 준 작은 일본 인형은 오래도록 소중히 간직했다.

1958년 크리스마스 시즌, 독일에서 군복무를 할 때 그녀에게서 편지가 왔다.

"신 선교사님, 기뻐해 주세요. 바로 오늘 남편이 돌아왔어요."

그녀의 편지는 그해 내가 받은 최고의 크리스마스 선물이었다.

집을 나간 남편은 1주일에 몇 번씩 집 근처에 와서 그녀의 행동을 살폈다고 한다. 서양 종교에 빠지면 여자가 바람이 나고 가정을 팽개칠 줄 알았는데 아이들과 그 고생을 하며 열심히 살고 일요일이면 빠짐없이 교회에 가는 것을 2년 동안 지켜본 후 돌아온 것이다.

1964년 내가 처음으로 다시 한국에 갈 때 일본 하네다 공항에 내려 그 부부를 기쁘게 만났다. 그날 밤 남편은 내게 이렇게 말했다.

"신 형제, 우리 나라에 와서 고생하며 하나님을 소개해 줘서 고맙소. 덕분에 우리 가정은 이렇게 행복하오."

참으로 귀한 열매였다.

그의 아들은 내가 있던 하와이 대학으로 와서 미술 공부를 했고, 동양 미술과 현대 미술을 조화시키는 창조적인 유명한 화가가 되어 지금도 하와이에서 활약하고 있다.

어느 날 토미 자매의 남편 다키다와 씨에게서 검은 먹칠을 한 봉투가 날아왔다. 부인이 위암으로 죽은 것이었다. 나는 다키다와 씨를 위로하고자 부랴부랴 비행기를 탔고, 장례를 마친 그는 11시간 동안 기차를 타고 와 하네다 공항에서 나를 기다리고 있었다.

이제 내가 선교사로 있던 그때의 일본은 간데없고 세계의 경제 대국으로 우뚝 서 있지만, 아직도 일본은 인종 차별이 심한 배타적인 나라다. 나는 그 심했던 인종 차별을 겪었기에 미국이나 유럽에서 당한 인종 차별을 이길 수 있었다.

또한 일본에서 보낸 그 기간은 온갖 장애물도 인내하고 넘으면 그 뒤에 승리가 기다림을 겪음으로써 시련은 곧 기회라는 것을 깨달은 귀한 시간이었다. 무엇보다 원수의 나라를 하나님의 사랑으로 사랑하려 하고, 복을 빌 수 있는 힘을 체험한 기간이었다.

가슴 속에 묻은 나의 첫사랑

도쿄 시부야의 교회를 가니 한 여인이 눈에 띄었다.

백옥 같은 피부에 그림 같은 이목구비를 살려 주는 세련된 화장, 거기다 품위 있는 옷차림을 한 그녀는 누가 보더라도 여느 부인네와는 달랐다.

매주일 그녀가 운전하는 검은 자가용에서 내리는 두 자녀도 귀공자 귀공녀였다. 이따금 그녀가 기모노를 입고 나타날 때면 까마귀들 속에 공작 한 마리가 날아든 듯하였다.

그런 부류의 사람을 보기가 결코 흔치 않았던 1950년대 말 전쟁 직후의 사회였기에 그녀는 당연히 모든 이의 시선을 끌었다.

나는 지방부장을 맡고 있어서 일요일마다 내 구역의 교회들을 순회하고 있었고, 오가는 차 속에서 시부야 교회를 생각할 땐 그녀가 먼저 떠올랐다.

한창 사랑을 동경할 나이였기에 비록 선교사의 몸이었지만 아름다운 그 여인을 보면 가슴이 철렁 내려앉는 것 같았고, 그보다 나의 가슴을 찡하게 하는 것은 그녀의 외로운 모습이었다.

'교회 일에 끼여 보려 하지만 섞이지 못하는 것은 왜일까? 반짝이는 저 눈빛 속의 처절한 외로움에는 남모르는 그 무엇이 있는 걸까?'

그녀의 얼굴에 미소와 슬픔이 함께 머물게 된 것은 그녀가 남편을 잃은 미망인이기 때문만은 아니었다.

그녀는 미야사마 천황의 조카의 사생아였다. 첩의 몸에서 태어난 그녀를 황실의 수치라고 생각한 사람들은 그녀를 쇼도시마 섬으로 보내 유모의 손에서 자라게 했다. 가정 교사의 지도로 고등학교를 마칠 때까지 그녀는 도쿄에는 발도 들일 수 없었다. 그 후 귀족들의 대학인 슈엔 학술원에서 공부했다. 학술원에 다니는 동안 그녀는 시를 써서 천황의 표창을 받게 되었지만 아무 내색도 못 하고 단상을 내려와야 했다.

졸업 무렵 유모의 중매로 육군 소령인 남편과 결혼했으나, 두 아이를 낳은 후 남편이 교통사고로 죽자 이번에는 과부 인생으로 다시 외롭게 살게 되었다.

이토 시즈에, 내가 가슴 저리게 사랑한 첫 여인이다.

다섯 살과 일곱 살의 두 자녀의 어머니, 나보다 여덟 살이나 많은 나이, 무엇보다 한국 사람을 멸시하고 천대하는 일본의 여인…….

사랑은 처지도 국경도 초월한다더니 선교사 처지에 원수의 나라 여인을 사랑하게 된 것이다.

나와 후배 선교사는 시즈에가 전도한 자매를 위한 성경 공부를 하러 매주 시즈에의 집에 가게 됐다.

이웃을 전도하려는 열심 있는 신앙, 손님을 접대하는 따뜻한 마음, 그녀를 더욱 돋보이게 하는 다른 모습이었다.

일본 여성 특유의 다소곳한 수줍음의 매력뿐 아니라 눈물을 흘리면서도 밝은 미소로 자신의 아픔을 털어놓을 땐 그녀의 저 속 깊이 빨려들어가는 나 자신을 걷잡을 수 없었다.

자기의 가슴으로 쓴 시들을 읽으며 설명해 주는 그녀를 볼 때는 시즈에의 모든 것, 과거, 현재, 미래까지도 다 끌어안고 싶었다.

그녀와 만나는 순간순간 서로의 가슴 속에 묻혀 있는 비참할 만한 외로움을 거의 동시에 느끼고 보게 된 우리 두 사람의 눈은 언제부터인가 빛나기 시작했다. 강물처럼 밀려오는 사랑을 거부해 보았지만 뜻대로 되지 않았다. 고민 끝에 할 수 없이 선교부장에게 고백을 했고, 곧 이어 선교부장은 나를 오카야마로 전근 발령했다. 그렇게 나는 시즈에의 곁을 떠나야 했다.

안 보면 나아질 줄 알았는데 눈으로나마 볼 수 없게 되자 가슴이 터져나갈 것만 같아 편지를 쓰고 말았다. 감히 못 했던 말들이 봇물처럼 터져나와 우리의 사랑은 더욱 뜨거워졌다.

결국 시즈에는 오카야마로 찾아왔고, 우리는 후배 선교사와 함께 그녀가 자란 쇼도시마 섬으로 여행을 떠났다.

니주시노 시도미(24명의 제자) 기념탑 앞에서 사진을 찍었다. 24명의 제자가 전쟁에 나가 나라를 위해 싸우다 하나씩 모두 죽자, 쇼도시마 중학교의 한 여선생이 그 아픈 이야기를 책으로 펴내 베스트 셀러가 되었고, 이를 기념하기 위해 세운 탑이다.

첫사랑 시즈에

나의 사랑 시즈에는
늙지도 변하지도 않고 내 가슴 속에 묻혀 있다.

그녀가 자랐다는, 숲으로 둘러싸인 집을 찾아갔고 그녀의 눈물이 알알이 배어 있는 그곳에서 우리는 서로 사랑을 고백했다.

"신 선생님을 사랑하는 제 마음은 평생 계속될 겁니다."

"시즈에 당신을 처음 본 순간 내 사랑은 시작됐고, 영원토록 이 사랑은 변치 않을 거요. 지금은 아무 증표도 없지만 마음으로라도 약혼하고 싶소."

"한 가지 고백할 것이……."

잠시 주저하던 시즈에는 소매를 걷어 팔의 상처를 내보였다.

"저는 피폭자입니다. 의사는 걱정할 필요 없다지만 그래도 마음에 걸립니다."

"의사가 괜찮다면 괜찮을 거요. 걱정할 필요 없소. 이제 곧 선교 기간이 끝나니 귀국하는 대로 결혼 수속을 하겠소."

"그럼 아이들은?"

"물론 당신의 분신인 아이들도 함께 가야 하지 않겠소. 넓은 곳으로 데려가서 잘 교육시켜 봅시다."

시즈에의 눈에서는 보석 같은 눈물이 떨어졌으나 감사의 미소도 잊지 않았다.

후배 선교사가 눈치채고 앞서가 주어 우리는 잠시 손을 잡고 걸어 볼 수 있었다.

1958년 말, 선교사 임기를 마치고 요코하마 항에서 일본을 떠나는 배를 올랐다. 시즈에는 선교사 법을 어기게 만든 사람이라 배웅을 나올 수가 없었다. 멀어지는 일본 땅을 바라보며 속으로 시즈에의 이름을 외쳐 불렀다.

미국에 돌아온 나는 양아버지를 설득해 곧바로 초청장을 만들어 보냈고, 군대 영장을 받자마자 텍사스 신병 훈련소로 떠나게 됐다.

고된 훈련에 인종 차별까지 당하자니 하루하루가 그야말로 죽을 지경이었지만 그녀의 편지는 내게 희망과 용기를 주었다. 그런데 언제부터인가 1주일에도 서너 번씩 오던 편지가 뚝 끊겼다. 답답하고 불안해서 도저히 견딜 수가 없었다. 기다리다 못해 일본으로 전화를 했다.

"이토 시즈에 씨는 얼마 전 원자병으로 세상을 뜨셨습니다."

"……."

'그럴 리가 없다…… 믿을 수 없어…… 아니야…….'

더 이상 아무 말도 들리지 않았고 숨조차 쉴 수가 없었다.

"아이들은 어떻게 됐나요?"

"친척이 데려갔습니다."

밤마다 베개가 젖도록 울며 몸부림을 쳐 봐도 어쩔 도리가 없었다. 세월이 약이라더니, 며칠이 지나자 밥맛도 다시 돌아왔고 몇 주가 또 가자 잠도 깊이 들었다.

누가 한 말인가, '첫사랑은 안 이루어진다'든지 '못 이룬 사랑은 못 잊는다'든지 하는 말들은…….

내게도 그 말들이 예언처럼 임하여 나의 첫사랑은 못 이룬 사랑이 되었고, 이토 시즈에는 못 잊을 사람으로 내 가슴 속에 묻혀 있다.

마가렛 할머니의 유산

한국 사람들을 그토록 멸시하는 일본이었지만 2년 동안의 생활을 통해 정도 들었기에 아쉬운 마음마저 들었다. 토미 자매가 흔드는 손수건도 시야에서 사라지고 요코하마 항구도 아득히 멀어져 갔다. 선교 기간을 마친 선교사들에게 교회가 주는 특별 서비스인 1등석을 찾아가니 온갖 시설들이 널려 있었다. 수영장, 당구장, 극장, 댄스홀…….

그러나 그 모든 시설이 나에겐 그림의 떡이라, 남들이 하는 것만 물끄러미 바라볼 뿐이었다. 선실도 식당도 어디를 가나 잘 꾸며 놓았다. 식사 때가 되어 식당에 가서 앉고 보니 모두들 짝이 있는데 나만 혼자였다. 식사를 하는 도중에 저 건너편에 혼자 앉아 있는 할머니 한 분이 눈에 띄었다. 식사가 끝날 때까지 아무도 안 나타나는 것이 아마도 일행이 없나 보다. 다음 번 식사 때도 할머니는 여전히 혼자 나타났고 내 쪽을 보더니 곧 다가와 "헬로! 앉아도 될까요?" 했다.

나도 반가워 "물론입니다" 한 것이 인연이 되어 우리는 지루할 뻔한 2주 동안의 항해 기간에 남이 볼 때는 할머니와 손자요, 우리끼리는 친구가 되어 있었다. 키가 크고 뚱뚱했지만 마치 외할머니라도 만난 듯 반가웠다. 그 할머니도 70세의 나이라 수영과 댄스가 어려웠고 나도 선교사의 몸이라 오락이 허락되지 않았기에 우리는 자연히 앉아서 이야기하거나 갑판에 나가 난간에 기대어 파도를 보며 이야기하는 것 외에는 그다지 다른 할 일이 없었다.

마가렛 할머니, 그분은 내 평생 잊을 수 없는 친구다. 할머니는 자기를 '앤트'라고 불러 달라 했다. 미국에서 앤트는 이모나 고모, 숙모를 부르는 호칭이다. 모든 노인들이 그렇듯 그 할머니도 나를 볼 때마다 자신의 옛날 이야기를 들려 주셨고 나 또한 거친 소용돌이 속에서 자랐기에 하고픈 얘기가 많았다. 배가 샌프란시스코 항구에 도착할 때까지 우리는 시간가는 줄을 몰랐다. 할머니는 18세 때 약혼자의 변심에 크게 상처를 받아 일흔이 되도록 혼자 살고 있었다.

42년 동안 영어 선생으로 중고등학교에서 학생들을 가르쳤고 은퇴한 후 세계일주를 나서 유럽, 인도, 중국, 홍콩을 거쳐 일본을 다녀오는 길에 나를 만난 것이다. 가까운 친척도 없는 할머니의 고독과 나의 한 맺힌 고독이 서로의 마음을 열게 했다. 내가 입대한 후에도 우리는 편지를 주고받았다. 할머니가 1주일에 두세 번 보내면 나는 겨우 한 번 정도 답장하지만 할머니는 섭섭해하시는 대신에 내 편지의 틀린 곳을 고쳐서 다시 보내 주시며 나에게 영어 공부를 시키셨다.

또 독일에 있는 동안 친구들과 주말마다 여행을 다닐 때는 할머니가 써 두셨던 여행기를 안내판삼아 고생도 덜 하고 구경도 잘 할 수 있었다. 어느 날 날아온 편지에 할머니는 이렇게 쓰셨다.

"폴! 독일에 있는 동안 오베라메르가우(oberammergau)라는 도시에 가서 패션 연극을 꼭 보고 오너라. 10년마다 하는 것이니 이번에 놓치면 70년이 되어서야 볼 수 있단다."

나는 "앤트가 오셔서 우리 함께 가 보면 어떨까요?" 하는 답장을 보냈다. 마가렛 할머니는 선뜻 나를 찾아오셨고 마침 폴크스바겐을 샀기에 할머니를 모시고 독일 남쪽 도시 오베라메르가우로 떠났다.

16세기 때 예수님의 생애를 내용으로 어느 주교가 쓴 연극인데 전문 배우가 아닌 동네 사람들이 직접 하는 공연이었다. 할머니는 1930년에 와서 보았으니 30년 만인데도 연극 배우만 다를 뿐 무대와 연출이 똑같다며 감격스러워하셨다. 우리는 오스트리아 잘츠부르크에 들러 함께 걷고 음식을 나누며 이야기꽃을 피웠다. 나와 함께 있는 것에 행복해하는 할머니를 보고 있자니 나 역시 행복했다.

할머니는 내가 자기를 구경시켜 주었으니 이제는 자기 차례라며 할머니의 고향인 영국 웨일스로 가자신다. 영국으로 가는 길에 나는 이런 제안을 했다.

"앤트! 독일 지나가는 길에 들러 갈 곳을 정하세요. 히틀러의 별장과 2만 7천 피트 높이의 눈산, 아니면 지하 탄광 셋 중에서 어느 곳을 가 보고 싶으세요."

"글쎄 어디로 갈까……."

"케이블카 타고 눈산 가는 곳이 제일 위험해요."

마가렛 할머니

외로운 사람은 외로운 사람끼리 통한다고 한다.
일본에서 돌아오는 배 안에서 끔찍이도 외로운 인생의 배를 탄
마가렛 할머니와 나는 만났다. 우리는 잠시 서로를 위로하고
헤어졌을 뿐이지만 서로의 마음에 오래도록 남았다.

"그래? 그럼 난 그곳으로 가고 싶어."

'내가 괜히 할머니의 모험심을 건드렸구나' 하고 내심 걱정했는데 할머니는 아무리 위험해도 내 부축을 거절하고 오히려 나를 앞질러 다녔다. 우리는 카페리호를 타고 영국 본토 서쪽의 웨일스 주의 수도인 카디건으로 갔다. 그곳에서 할머니가 태어난 조그만 집도 보고 친척들도 찾아다니며 평화롭고 아름다운 시간을 보냈다.

군에서 제대한 후에 오하이오 주 엘리리아의 할머니 집에 놀러 갔다. 건평이 1백 평도 넘어 보이는 큰 집에서 할머니가 만들어 준 음식을 먹으며 할머니의 피아노 연주를 듣자니 외할머니가 보고 싶어 가슴이 뭉클했다.

대학 4학년이던 1962년 봄, 할머니의 변호사에게서 할머니가 돌아가셨다고 연락이 왔다. 할머니의 마지막 모습이라도 보기 위해 급히 날아가니 먼 친척이라는 부부가 괜히 나를 못마땅해하고 트집을 잡아 인종 차별인가 하며 기분 나쁜 가운데 장례식에 참석하였다. 학교 교장 선생님과 제자들, 친구들 등 겨우 30여 명이 모인 쓸쓸한 장례식이었다. 눈이 아주 나빠 늘 안경을 쓰고도 목에다 하나 더 걸고 다니지만 모자 쓰고 장갑까지 끼는 멋쟁이 할머니, 모험심 많은 씩씩한 마가렛 할머니를 다시 만날 수 없음에 섭섭해 울고 할머니의 고독했던 생애에 가슴아파 울었다.

"폴! 내가 다시 산다면 나는 꼭 결혼할 거야. 가족 없이 산다는 것이 이토록 외롭고 힘들 줄은 정말 몰랐어! 너는 어릴 적에 고생 많이 했으니 꼭 결혼해서 행복해져야 해!"

이렇게 부탁하셨던 할머니의 말씀이 내 가슴을 때렸다. 장례식이 끝나자 변호사가 자기 사무실로 나를 안내했고 나를 못마땅히 여기던 친척 부부도 따라왔다.

"마가렛 에드워드 여사께서 집과 별장 그리고 그랜드 피아노를 '폴 신' 당신에게 유산으로 남기셨습니다."

나는 깜짝 놀랐다. 그 많은 재산을 내게 물려주다니……. 여전히 화를 내는 부부를 향해 이렇게 말했다.

"왜 화를 내시는지 이제 알겠군요. 저는 유산은 필요없습니다. 할머니와 저는 가까운 친구였을 뿐이니까요."

눈이 휘둥그레진 변호사와 친척은 한참 쑥덕쑥덕하더니 서류를 꾸며 내밀었다. 시키는 대로 서명을 하자 갑자기 부부의 얼굴이 환히 밝아지고 기뻐서 어쩔 줄 모르며 저녁을 먹자고 했다. 그들은 싫다는 나를 억지로 식당으로 끌고 갔다.

지금도 그 집과 호숫가 별장 그리고 할머니가 눈에 선하다. 그럴 때면 그리운 마음에 혼자 중얼거리곤 한다.

'할머니의 손때 묻은 그랜드 피아노는 내가 간직했어야 하는 건데…….'

백인은 아니지만 흑인도 아닌데

멀리서 샌프란시스코 항구가 눈에 들어왔다. 4년 전 처음 왔을 때와는 달리 가슴을 펴고 여유 있게 금문교 밑을 지나며 나에게 다시 열리는 미국을 맞았다.

그 얼마나 기다리고 꾸어 왔던 무지개 꿈이던가. 검정고시 패스 후 대학에 들어가 체험했던 수업 시간을 생각하니 등에 식은땀이 났다. 그렇지만 절대로 포기하거나 놓치지 않겠다.

부모님과 동생들 셋이 모두 나와 있었다. 아버지는 내가 대견한 듯 이리저리 훑어보고 쓰다듬으며 기뻐했지만 어머니와 동생들은 여전히 덤덤한 표정이었다. 그러나 4년 전과 비교해 보면 그나마도 고마운 일이었다. 온 가족과 차를 타고 유타의 집으로 돌아오니 나의 정성과 수고가 깃들인 정원의 나무들이 튼튼히 뿌리박고 서서 나를 반겼다. 방으로 들어가 짐을 푸는데 아버지가 들어와 편지를 건넸다.

"미국 정부가 네게 보낸 편지다."

군입대 영장이었다. 아버지는 이미 알고 있었던 듯, 놀라는 나에게 미안한 표정으로 망설이다 물었다.

"어떻게 생각하니?"

언젠가는 닥칠 일인 줄 알고는 있었지만 너무 갑작스러웠다.

"군대에 들어가서도 군대 교육 센터를 통하면 대학 공부를 계속할 수 있단다. 이 기회에 영어도 더 배우고……. 긍정적으로 받아들이자꾸나."

공부를 계속할 수 있다는 말에 마음이 놓였다.

"미국은 제게 은혜를 베푼 나라입니다. 그 은혜를 갚는 마음으로 다녀오겠습니다."

2년 만에 돌아와 2주도 채 안 돼서 다시 짐을 싸는 내게 동생들은 또 어디를 가느냐며 궁금해했다. 콜로라도로 가서 입대 신고를 한 후 부대에서 준 옷으로 갈아입었다. 다시 하우스보이로 돌아간 듯한 기분이었다.

한국으로 갈 사람은 켄터키로, 독일로 갈 사람은 텍사스 훈련소로 간다고 하기에 켄터키로 가게 되기를 바랐는데 안타깝게도 텍사스로 보내지고 말았다.

훈련소로 가는 기차 안에서 여러 가지 생각에 잠을 이룰 수가 없었다.

'하우스보이였던 내가 군인 노릇을 제대로 할 수 있을까?'

장단 막사에서 본 모습들이 생각났다. 날마다 들것에 실려 들어오던 부상병들과 시체들, 삶과 죽음이 공존하는 전장, 부스 중위가 감당해야 했던 인종 차별의 설움…….

'나의 상관은 어떤 사람일까? 오그레이디 대령 같은 사람? 아니면 폴 대위?'

혼란스러운 머리로 텍사스 포트 훗에 도착하자 최악의 날씨가 훈련병들을 기다리고 있었다. 날마다 눈이 오거나 바람이 불고 그도 아니면 모래바람이 불어 눈도 뜨기 힘든 상황에서 구보, 포격, 사격, 총검술에 장애물 넘기까지 끝이 없었다. 또 어떤 날은 훈련병들을 트럭에 태워 멀리 나가 여기저기 떨어뜨려 놓고 부대로 찾아오게 하는 생존 훈련을 시키기도 했다.

훈련병 생활에 익숙해져 가던 어느 주말 오후 백인 친구 몇 명과 어울려 잔뜩 들뜬 기분으로 텍사스 템플 시내로 갔다. 멋진 식당을 찾아 근사한 식사를 하기로 한 우리는 화려한 샹들리에 아래 깨끗한 유니폼의 웨이터들이 늘어선 고급 식당으로 들어섰다. 그때 'The whites only'라는 문구가 눈에 띄었다.

'나는 무엇인가? 흑인은 아닌데 당연히 백인도 아니지 않는가?'

일행이 많으니 한 사람쯤은 괜찮을 듯했는지 친구들은 망설이는 나를 잡아끌었다. 불안한 마음에 의자 끝에 걸터앉은 나를 발견한 매니저가 황급히 쫓아왔다.

"당신 지금 여기서 뭐하는 거야?"

덩치 좋은 매니저는 얼굴이 빨개진 내 멱살을 잡아 번쩍 들어올렸다. 그러고는 모든 사람의 시선이 집중된 가운데 문 밖까지 질질 끌고 나가 길바닥에 사정없이 내던져 버렸다. 가슴에서는 활활 불이 나고 눈에서는 뜨거운 눈물이 쏟아졌다.

화를 내며 덩달아 밖으로 쫓아나온 친구들과 함께 부대로 돌아왔다. 그러나 부대 식당마저 문을 닫아 멋진 식사는커녕 그날 밤 우리는 모두 쫄쫄 굶은 채 자야 했다.

아침에 일어나니 베개가 축축했다.

'하나님, 미국 군인이 되어서도 사람 대접을 못 받으니 앞으로 어찌하나요?'

가슴 밑바닥에서 터져나오는 소리가 있었다.

'그래, 언젠가는 내가 너희들을 도우며 살 날이 오리라!'

팔씨름 시합에 나가 거구의 흑인, 백인들을 다 물리치고 3등을 차지했다. 더 이상 아무도 납작코 작은 키의 코리안을 우습게 보지 않았다. 특히 상관들은 영어도 잘 못 하는 유일한 동양인인 나를 더 아껴 주었다. 멕시코인인 소대장은 같은 유색 인종이라고 나를 챙겨 주었고, 부대장은 나의 신실한 신앙심을 높이 사 주었다. 잘 다린 단정한 군복, 반짝이는 군화, 정돈된 침상, 임무를 맡으면 총알처럼 움직이는 성실성……. 두말할 것 없이 하우스보이 시절 몸에 밴 습관이었다.

그 당시 전세계적으로 젊은이들의 우상이었던 엘비스 프레슬리가 우리와 함께 텍사스에서 훈련을 받았다. 매일 새벽 5시 반이면 어김없이 일어나 하루 종일 고된 훈련이 계속되는 군대였다. 엘비스가 잘 해낼 거라고 여긴 사람은 아무도 없었지만 그는 모범적인 군인이었다. 자기 돈으로 훈련소에 오락실을 설치하는가 하면 화장실을 넓히는 공사도 해냈다. 또 잠깐이라도 틈이 나면 동료들을 위해 노래를 불러 주기도 했다.

나의 룸메이트인 셸비 파트문은 마른 체격에 항상 생각에 잠겨 있는 우울한 사람이었다. 외톨이일 수밖에 없던 우리는 함께 있는 시간이 많았다. 그는 먹기 싫어도 먹어야 하고 자기 싫어도 자야 하는 공동 생활을 못 견뎌했다. 특히 내가 살기 위해서 남을 죽이는 훈련을 받아들이지 못해 마음의 병이 점점 깊어 갔다.

"나는 이러다 죽을 거야. 도저히 살고 싶은 의욕이 안 생겨. 먹는 것도 자는 것도 다 싫어."

결국 그는 정신병이라는 군의관의 진단에 고향으로 돌아갔다. 그런데 얼마 지나지 않아 그가 죽었다는 소식이 들려왔다. 자기 방을 검게 칠해 놓고 그 안에 들어가 굶어 죽었다는 것이다. 나는 덩달아 밥맛을 잃고 우울한 며칠을 보냈다.

8주 동안의 일반 훈련이 끝나자 주특기 훈련으로 들어가 전차병이 되었다. 높은 탱크에 앉아서 먼 곳을 조준하는 연습은 기분을 상쾌하게 했다. 그런데 부대장인 벤디터 중위가 나를 사무직 요원으로 돌려 버려 답답한 사무실에서 타자와 편지 작성법을 배웠다. 독일에 있는 중위의 외사촌형이 신실한 군종부 보좌관을 찾고 있기 때문에 나를 그곳으로 보내려고 필요한 준비를 시킨 것이었다.

16주 동안의 모든 훈련이 끝나고 미육군 이등병이 되어 군인으로서 첫발을 내딛게 되었다. 독일로 가는 배를 타기 위해 뉴욕까지 3일 밤낮을 기차를 타고 달렸다. 가도 가도 끝이 없는 광활한 대지를 가로지르며 다시 한 번 미국의 거대함에 놀랐다.

뉴욕에서 독일로 가는 수송 선박에 올랐다. 선실에는 양쪽 벽에 붙여 놓은 4층 침대가 있는데 똑바로 누워도 코끝에 위칸 침대가

닿을 정도로 비좁은 침대였다. 밤이면 덥고 공기마저 탁한 선실을
빠져나와 차갑고 세찬 바닷바람을 맞으며 열흘을 보냈다.

마침내 독일의 브리문 하븐 항구에 도착해 부두에 대기하고 있던 트럭에 올라타려고 줄을 섰는데 소령 한 사람이 다가왔다.

"당신이 폴 신입니까?"

"그렇습니다."

"나는 찰스 추링클 군목입니다. 이쪽 내 차를 탑시다."

소령의 승용차를 타고 부두를 벗어나며 뒤를 돌아보았다.

트럭에 앉은 군인들이 보였다.

'9년 전 바로 저 트럭에 미군의 손을 붙잡고 올랐었지…….'

나의 모습이 생생하게 보이는 듯하여 멍하니 내다보다 소령의 물음에 대답도 못 했다.

"내 동생이 신 군을 아주 잘 보았소. 미국에 온 지는 얼마나 되었지?"

"……."

폴크스바겐에 자유를 싣고

거구의 찰스 추링클 소령은 한눈에도 인자한 사람 같았다. 조금 마음이 놓이자 창 밖의 전원 풍경이 눈에 들어왔다. 전쟁 직후인 것은 일본과 마찬가지인데 일본과는 달리 거리에 인적이 별로 없었다. 자연과 잘 어울리는 고풍스러운 건물들이 멋스럽고 평화로워 보였다.

몇 달 전까지만 해도 일본에 있던 몸인데 어느 새 지구 반대편인 독일에 와 있다는 것이 신통했다. 내가 맡을 일에 대해 추링클 목사의 설명을 들으면서 조금씩 걱정이 되기 시작했다.

'공연히 벤디터 중위가 욕먹는 것은 아닐까?'

아무래도 자신이 없었다. 울름 시에서 세월의 때가 켜켜이 앉은 듯한 벽돌 건물로 들어선 우리는 교회로 향했다.

단번에 이등병에서 군종 하사관으로 진급한 나는 장교복과 비슷해 보이는 군복을 입고 일반 군인과는 전혀 다른 일을 하게 되었다. 훈련병 시절 같은 고된 훈련도 없었고 문화 차이로 인한 낯뜨거운 일들도 더 이상 생길 리 없었다. 취사 담당이었을 때 통에 남은 감자가 아까워 버리지 않았다가 기합을 받았던 일, 사격 훈련 때 총알을 아꼈다가 부대장에게 혼이 나던 일. 그 일들은 모두 그들과 내가 생각이 다르기 때문에 생긴 것이었다.

추링클 목사는 제자교회 목사로 유럽 전체를 총괄하는 최고참 목사였다. 군종부는 군인들의 신앙 생활을 도울 뿐 아니라 도덕 교육까지 맡아 여러 가지 프로그램을 준비해야 했다.

목사님을 따라 북으로 스칸디나비아 반도에서 남으로 스페인까지 유럽 전체를 돌아다녔다. 평소에는 설교 준비를 도와 자료를 정리하고, 타자 치고, 편지를 쓰는 것이 주된 업무였다.

다른 일들은 눈치껏 최선을 다했으나 짧은 영어 실력 때문에 편지를 쓸 때마다 엉뚱한 실수를 저지르곤 했다. 너털웃음에 놀라 달려가 보면 목사님은 나의 실수를 친절하게 바로잡아 주었다.

나는 자주 목사님에게 식사 초대를 받았다. 사모님은 다섯이나 되는 아이들을 키우는 주부답지 않게 항상 여유 있는 모습으로 따뜻하게 대해 주었다.

언젠가 목사님의 가족이 휴가를 떠나며 혼자 남은 개를 나에게 맡겼다. 그런데 내가 첫날 인스턴트 개밥을 너무 많이 주었는지 다음 날은 통 먹지를 않았다. 걱정이 되어 스테이크를 주었더니 맛있게 먹었다. 그러나 그것도 몇 번, 다시 본 척도 안 했다. 생각다 못해 이번에는 아이스크림을 주자 개는 꼬리를 흔들며 좋아라고 먹어댔다.

며칠 후 목사님이 특유의 큰 목소리로 나를 불렀다.

"자네 도대체 우리 개한테 뭘 먹였나?"

"스테이크와 아이스크림을 먹였습니다. 개밥을 안 먹기에……."

"으하하하! 자네가 우리 개 입맛을 다 버려 놨어! 며칠째 개밥은 쳐다보지도 않고 쫄쫄 굶고 있어!"

여름이 되자 독일 남부의 벨처스 가든이라는 아름다운 숲 속 휴양지에서 수련회가 열렸다. 목사님, 신부님, 스님을 초청해 1주일씩 강연을 들었다. 명동성당의 파이프 오르간 소리, 상처받은 내 마음을 달래 주던 한경직 목사님의 설교가 애잔하게 생각나던 때였다.

월급을 모아 11년이나 된 중고 차를 샀다. 주말이면 친구들과 여행을 떠났다. 차 안에서 숙식을 해결하며 돈과 시간을 절약해 유럽 구석구석을 돌아본 소중한 시간이었다.

음악 도시인 비엔나의 음악가 묘지를 둘러보고 모차르트의 고향 잘츠부르크 호수에 뜬 달을 바라보며 감상에 젖어 보기도 했다. 조금 멀리 이탈리아 북쪽 베네치아에 가 곤돌라를 타고, 스페인의 투우 경기를 보며 흥분하기도 했다. 영국에 가서 연극을 볼 때는 뜻도 모르고 좋아했고, 이탈리아 베로나 원형극장에서 오페라를 볼 때는 자세한 내용도 모르면서 가슴이 벅차 올라 주체하기 어려웠다.

로마에서 미켈란젤로를 만나고, 피렌체의 르네상스 그림을 훑어보고, 프랑스 루브르 박물관에서는 인상파 화가들을 만나 눈과 가슴으로 대화하였다.

그때 함께 다니던 쉬크 면도기 회사 사장 아들 쉬크와 케이브는 지금까지도 편지를 주고받는 친구다. 예술이 뭔지 모르는 나에게 그 2년 동안의 주말 여행은 산 예술 교육이었고 최고의 현장 교육이었다. 때마침 새 독일제 폴크스바겐을 구입한 나는 한껏 신이 나 있었던 시절이기도 했다.

군종부에서 해결해야 하는 일 가운데 하나가 전방에 나가 있는 군인들의 가족들을 돌보는 일이었다. 여러 가지 일들이 쉬지 않고 벌어졌다.

한번은 전방에 나가 있는 상사의 부인이 술집에서 술을 마시다 취해서 행패를 부리는 바람에 독일 경찰에 체포되어 유치장에 들어갔다. 독일의 국경 도시인 그라슨 비어까지 5시간이나 차를 몰고 가 상사에게 이 일을 보고하자 화가 난 상사는 술을 마시고 술김에 동독으로 들어가 버렸다. 부인은 3일 만에 유치장에서 꺼냈지만 상사를 꺼내는 데는 6개월이나 걸렸다.

어느 날 부대 철조망 밖에서 한 소년이 내게 손짓을 했다.

"아저씨! 나 비행기 좀 태워 줘요, 네?"

"그래? 그렇지만 난 조종사가 아니야."

"그럼 조종사 아저씨한테 물어봐 줘요. 부탁이에요!"

맹랑한 꼬마였다. 시키는 대로 하자니 내 꼴이 우습고 저렇게 간절히 원하는데 모른 척할 수도 없었다. 헛수고하는 셈치고 조종사에게 물었더니 뜻밖에 선선히 승낙했다. 우리 셋은 30분 동안 동네를 몇 바퀴나 돌았다.

"나는 이다음에 커서 조종사가 될 거예요."

소년은 너무 기뻐서 껑충껑충 뛰며 돌아갔다.

큰 키에 비쩍 마른 몸매의 영리한 소년 월터 잉글하트는 나를 자기 집으로 초대해 가족처럼 지냈다. 월터의 소개로 금발 미인인 그의 누나와 함께 오페라에 가게 됐지만 독일말을 잘 알아듣지 못했던 내가 공연 중에 잠이 들어 버려 아름다운 독일 아가씨의 자존심을 뭉개 버렸다. 그녀는 가족들에게 미국에서 온 야만인과 다시는 데이트를 하지 않겠다고 선언하기에 이르렀다.

20년이 지난 1980년, 유럽 여행을 하던 우리 가족은 잉글하트의 집을 찾아갔다. 연로한 월터의 아버지는 기억을 한참 더듬어 나를 알아보았다.

"당신 덕분에 난생 처음 비행기를 탔던 우리 월터가 이제는 매일 비행기를 타며 산답니다."

또 한 소년의 꿈이 이루어진 모양이었다. 그 소년은 비행사가 된 것이다.

하룻밤을 머물며 옛이야기를 꽃피운 다음 날 우리는 뮌헨 공항에서 공군 소령 월터 잉글하트를 만났다.

"열두 살 때 아저씨와 했던 약속을 지켰습니다."

그는 마침 열두 살인 나의 아들 폴을 자신의 비행기에 태워 주었고 나의 아들 역시 입이 함박만해져서 비행기에서 내렸다.

2년 동안의 군복무 기간이 끝나 미국으로 돌아갈 때가 되었다. 다른 사람들은 자유인이 되어 가족과 친구들을 만날 생각에 들떠 있었지만 나는 다시 부딪쳐야 하는 문제들 때문에 마음이 무거웠다. 그래도 군대 생활을 통해 나도 미국인이라는 자신감이 생겼고 많은 것을 경험하지 않았던가. 게다가 통신으로 대학 학점을 미리

따 두었기 때문에 입대 전보다는 유리한 상황이었다. 다만 한 가지, 군목이 되라는 추링클 목사님의 권유를 받아들이지 못한 아쉬움이 남았다.

신뢰와 존경을 받는 위치, 안정되고 보람된 생활이 보장된 군목. 어쩌면 나에게는 무지개를 잡을 기회였는지도 몰랐다. 그러나 더 넓게, 더 높게 도전해야 한다는 막연한 야망과 선생님이 되고 싶은 꿈 때문에 끝내 사양하고 말았다.

추링클 목사님과 그 동안 정든 교회에 아쉬운 작별을 고하고 브리문 하븐 항구로 갔다. 2년 전 바로 이 자리에서 얼떨떨한 표정으로 서 있던 나에게 다가오던 추링클 목사님의 그 큰 몸집이 눈에 보이는 듯해 가슴이 찡했다.

33년 후 내가 하원의원이었을 때 여든이 다 된 추링클 목사님 내외가 우리 집을 방문했다. 마침 한인 교포들의 모임이 있기 전날이었기에 노부부는 우리와 함께 밤새 콩나물을 다듬으며 옛 기억을 더듬었다.

"닥터 폴은 군목이 됐어도 잘 해냈을 거야."

한국말도 못 하는 불쌍한 입양아

내가 하이드런을 처음 본 것은 그녀가 군목실에서 인터뷰하고 있을 때였다. 피아노 반주자를 구한다는 신문 광고를 보고 찾아온 하이드런은 갈색 머리에 적당한 키, 아름다운 얼굴의 처녀였다. 음악은 '콩나물 대가리'가 왜 거꾸로 섰는지도 모르는 나인데다 피아노는 특권층이나 다루는 것, 나와는 거리가 먼 부러운 존재였다. 우락부락한 군인들뿐인 예배당에서 피아노를 치는 그녀는 부대원들에게 천사 같은 존재였고 선망의 대상이었다.

그때 그녀는 열아홉 살로 스튜가 대학 3학년에 다니며 수학을 전공하고 있었다. 나는 군종부에 있는 덕분에 일요일이면 오전 예배뿐 아니라 저녁 예배까지 천사 하이드런을 모셔오고 모셔가는 행운을 차지했다. 우리는 독일말을 배운다는 핑계로 함께 영화를 보러 다니며 정이 들었다. 그러나 아직 군인이고 학생이었던 우리가 약혼까지 하게 된 것은 하이드런의 아버지인 부쇼 씨의 권유 때문이었다.

프랑스인인 부쇼 씨는 나폴레옹의 침략 때 독일에 남게 된 군인으로 당시 시청 국장이었다. 비교적 여유 있는 생활을 하는 쾌활하고 너그러운 사람이었다. 집을 나가 부랑자가 된 아들 때문에 속이 상해 있던 그는, 동양인이기는 하지만 어른에게 깍듯하고 정성을 다하는 나의 태도를 마음에 들어했다.

부쇼 부인은 전형적인 주부였다. 그녀는 집안일로 늘 분주해 보였는데 나를 위해 자주 케제쿠헨(치즈 케이크 종류)을 만들고 아름다운 독일식 식탁을 차려 주기도 했다. 나 역시 그녀에게서 양어머니에게서는 찾을 수 없었던 어머니의 푸근함을 느끼곤 했다. 우리는 주말이면 왜건을 타고 국경 가까이에 있는 취리히, 베를린, 비엔나 등과 프랑스의 여러 도시를 돌아다니며 한가족과도 같은 정을 쌓았다.

약혼식날, 연한 블루 드레스를 입은 하이드런은 화사한 미소를 지으며 손님들 사이를 오갔지만, 나는 평소 자주 드나들던 그녀의 집임에도 떨리는 가슴에 부끄러워 어색하게 앉아 있었다. 그녀의 친척들과 친구들이 초청되었고 나의 군인 친구 4명까지 20여 명이 모여 약혼을 축하하고 저녁 식사를 같이 했다. 기쁜 자리였으나 마냥 좋아할 수 없었던 것은, 앞으로 넘어야 할 인생 고개들 생각에 내 마음 한구석에 어두운 안개가 깔려 있었기 때문이다.

제대 후 먼저 미국으로 돌아온 나는 대학에 복학했다. 남아서 대학을 마친 그녀도 졸업식이 끝난 후 뉴욕으로 왔다. 그러나 미국은

실연의 아픔을 안겨 준 여인

하이드런은 군인교회 뭇 총각들의 가슴을 설레게 하던 미인이었다.
그녀는 나에게 약혼의 기쁨과 함께 실연의 고통도 맛보게 했다.
그러나 아픔과 고통을 겪은 만큼 성숙한 나로 다시 태어나게 해 준
만남이었다.

독일과 상황이 달랐다. 의젓한 미국 군인이며 안정된 군종부의 독일 생활과 달리 고학생 주제인 나의 모습과 동양인으로 인종 차별을 겪는 것을 보게 되었고, 한국 여인과 결혼하길 원했던 양어머니가 하이드런을 반겨 주지 않았다.

빨리 결혼하라는 부쇼 씨의 독촉이 있었지만 나는 졸업할 때까지만 기다려 달라고 부탁할 수밖에 없었다. 양아버지의 친척집에 머물게 된 하이드런은 유타 대학원에 들어갔다. 얼마 후 그녀는 나와는 비교도 할 수 없는 조건의 멋진 남자를 만나 버렸다.

그 당시 나의 몸은 힘겨운 공부에 지칠 대로 지쳐 있었고, 마음은 하이드런에 대한 배신감으로 갈기갈기 찢겨 있었다. 나는 그녀의 결혼 소식을 듣고 우리의 추억이 담긴 사진들을 다 찢어 버리고 말았다.

20년이 지난 후였다. 친척 아주머니에게서 이혼 후 샌프란시스코에 사는 하이드런이 나를 한 번 보고 싶어한다는 말을 들었다. 가족들과 LA로 가던 길에 아내와 함께 하이드런을 만났다. 보석상을 경영하는 그녀는 뚱뚱해졌지만 여전히 아름다웠다. 그 사이 수줍음 많던 처녀에서 자신감 넘치는 중년 여인으로 변해 있었다.

물질의 풍요는 누리지만 아이도 없이 오랫동안 혼자 살고 있는 것에 나의 가슴이 아파 온 것은 어떤 이유일까.

그 후 다시 20년이 지난 지금 그녀는 어디서 어떤 모습으로 살고 있는지…….

하이드런이 남긴 상처는 한동안 나를 아프게 했지만 공부와 일에 매달려 잊으려고 애썼다. 1년쯤 지났을 때 나는 어머니의 말대로 한국 여자를 만나고 싶었다. 한국에 갈까 생각했지만 한국말도 제대로 못하는데다 보수적인 한국 사람들이 내가 입양아라면 꺼릴 것이 분명했기에 미국에서 찾아보기로 작정했다.

텍사스의 템플 대학에 한국 여학생이 있다는 말을 듣고 찾아갔지만 실력과 재력을 겸비한 많은 한국 남학생들이 그녀를 둘러싸고 있어 헛물만 켜고 돌아와 수를 짜냈다.

한국 사람들이 많이 살고 있는 하와이의 한국 영사관에 편지를 보내기로 한 것이다.

"안녕하십니까, 총영사님!

저는 올해 26세로 대학 3학년에 재학 중인 신호범이라는 청년입니다. 한국 여자와 결혼하고 싶으니 소개해 주시면 감사하겠습니다.

도와 주실 것을 믿고 ○월 ○일 하와이에 가겠습니다."

대답도 듣지 않고 무작정 찾아갔다. 나의 당돌함에 호감을 느낀 총영사는 내게 3명의 아가씨를 추천해 주었다.

첫 번째 아가씨는 하와이에서 태어난 이민 2세였다. 긴 머리에 예쁘고 날씬한 모습이 첫눈에 반할 정도였다. 그러나 그녀의 몸에 밴 서양식 매너가 내게는 너무 거북했다. 차에 탈 때는 문을 열어 줄 때까지 그대로 서 있었고, 식당에서는 의자를 빼 줄 때까지 기다리고 있었다. 꼬고 있는 늘씬한 다리가 매력적이었지만 한국말도 전혀 못 하면서 외모만 한국 사람인 것에 거부감이 느껴졌다.

다음 날, 두 번째 아가씨를 만나기로 했다.

숙명여대에 다니다 하와이 대학으로 와서 화학을 공부하는 아가씨였다. 작은 키에 동그란 얼굴, 납작한 코가 눈에 익은 모습이었다. 어제 만난 아가씨처럼 아름답지는 않았지만 왠지 편안한 느낌을 주었다. 입을 가리고 웃는 모습, 굵고 짧은 다리를 가지런히 모으고 앉은 모습이 고왔다. 한국말에 자신이 없어 영어를 섞어 가며 대화를 나눴다.

다음 날은 꽃을 안고 학교로 찾아갔다.

"어머나 꽃까지…… 꽃 받아 보기는 처음이에요. 호호호……."

수줍고 어색해하는 태도가 정감 있게 느껴졌다. 다음 날은 아예 와이키키 해변 인터내셔널 마켓 길가에서 만나 돼지고기를 야자나무 이파리에 싸서 찐 하와이 전통 요리를 사서 나누어 먹고, 걸어다니며 구경하다 아가씨가 무엇을 좋아하는지 눈여겨보았다가 만년필과 비싼 브로치를 사 주었다. 고마워하며 부끄럽게 받는 모습이 더욱 매력적이었다. 내심 반지까지 사 주고 싶었으나 서두르지 않기로 했다. 헤어지는 순간 안아 보고자 눈치를 살피는데, "안녕히 가세요!" 하고 공손히 인사를 한다. 틀려 버린 것에 서운하기도 했지만 오히려 아쉬움 속에 더 마음이 끌렸다.

리후 호텔에서 네 번째로 만난 날, 저녁 식사 후 공원으로 갔다.

"저는 이제 학교로 돌아가야 합니다. 가능하다면 결혼하고 싶습니다."

"우리가요? 어떻게…… 아직 학생이잖아요!"

"저도 학생이긴 마찬가지죠. 결혼해서 함께 공부하면 좋지 않을까요?"

"그런데…… 당신은 한국말도 잘 못 하잖아요. 아무래도 우린 대화도 어려울 것 같고……."

얼굴이 화끈 달아오르고 화가 치밀었다. 안 그래도 서툰 말이 덜덜 떨리기까지 했다.

"미안합니다, 한국말도 잘 못 해서……."

그 자리에서 헤어져 돌아온 다음 날 아침 비행기를 탔다.

그녀에게 나는 한국말도 제대로 못 하는, 부모에게 버림받은 불쌍한 입양아일 뿐이었다. 더 이상 아무도 만나고 싶지 않았다.

아르바이트로 힘들게 모은 돈을 다 쓰고 상처만 안고 돌아왔다.

'하나님, 진정 나를 사랑하고 좋아할 여자가 있을까요?'

이제는 돈도 다 떨어졌으니 죽어라 일하고 공부하는 수밖에 없었다.

'하나님, 진정 나를 사랑하고 좋아할 여자가 어디엔가 반드시 있겠지요!'

공동묘지에서의 프로포즈

이래저래 상처와 실망뿐이었다. 당분간은 아무 생각 않고 공부에만 전념하자고 다짐한 후 한 학기에 25학점을 신청했다. 더 오래 일하고 더 많이 공부하자니 줄일 수 있는 것은 잠뿐이어서 늘 토끼처럼 빨간 눈을 하고 다녔다.

그러나 워낙 기초가 없어서 아무리 공부해도 수학이나 과학 과목은 낙제를 면할 길이 없었다. 결국 의사가 되고 싶다는 꿈은 포기할 수밖에 없어 서글펐다.

내가 아홉 살 때의 일이었다. 말라리아에 걸려 길에 쓰러져 있었는데 누군가 거지가 죽었다고 신고했는지 경찰이 왔다. 아직 숨이 붙어 있는 나를 병원으로 데려다 주어 의사가 살려 냈다. 그때부터 의사는 내 생명의 은인이요, 선망의 대상이었다.

그렇지만 역사나 사회, 정치 과목에는 자신이 있었기 때문에 정치를 전공으로 하고 부전공으로 역사를 택했다.

돈을 아끼려고 학교 근처에 있는 월세 17달러짜리 지하방에 세 들었다. 커튼이 없어 침대 시트로 대충 창문을 가렸다. 주방 시설도 안 돼 있어 히터 파이프에 통조림을 올려놓고 나갔다 오면 그새 미지근해져 있는 그 통조림에 뜨거운 물을 부어 빵과 함께 먹으며 돈과 시간을 아꼈다. 그 와중에 틈틈이 공부해 외교관 시험에 도전했지만 떨어지고 말았다. 분한 마음에 다시 공부해 시험을 쳤다. 이번엔 합격했는데, 합격했다는 기쁨보다는 '할 수 있다. 나도 가능하다'라는 자신감이 넘쳐 올랐다.

곧 국무성에서 편지가 날아왔다.

"축하합니다. 당신은 앞으로 외교관이 되어 미국을 빛내게 될 것입니다. 준비해 주시기 바랍니다."

이젠 정말 외교관이 되었구나 하고 들떠 있는데 다시 편지가 왔다.

"미안합니다. 외교관은 시민권을 얻은 후 9년 3개월이 지나야 자격이 주어집니다."

이제까지의 노력이 수포로 돌아가는 순간이었지만 그러나 그대로 주저앉을 수는 없었다. 나도 편지를 썼다.

"미국에 온 지 얼마 안 되기에 그만큼 더 열심히 공부했습니다. 그 덕분에 지금 저는 동서양을 모두 잘 안다고 자부하고 있습니다. 실제로 유럽에서 군복무를 하는 동안 누구보다 더 열심히 외교관 노릇을 했습니다……."

장문의 편지를 보낸 지 얼마 지나지 않아 국무성에서 답장이 왔다.

"당신의 안타까운 마음은 이해하지만 이미 정해진 법이 있으니 따를 수밖에 다른 길이 없습니다. 그러나 필요한 기간이 찰 때까지 공부를 더 하시겠다면 박사 학위를 마칠 때까지 장학금을 드리겠습니다."

그리고 수많은 외교관을 양성한 피츠버그 대학을 추천해 주었다. 등록금에 생활비까지 포함된 내셔널 디펜스 펠로십 장학금을 받아 피츠버그 대학에서 공부할 수 있게 되었다. 극적인 전화위복이었다.

그런데 졸업 학점에 4학점이 모자라 할 수 없이 여름 학기를 신청했다. 어차피 학교에 가는 김에 모자라는 영어나 보충하려고 영어 수업에 들어갔다.

수업이 시작된 지 며칠쯤 지났을 때였다. 앞에 앉은 여학생이 눈에 띄었다. 그녀는 수업 시간 내내 뒤 한 번 돌아보지 않고 수업에만 열중했다. 또 바른 자세에 다리를 항상 가지런히 모으고 앉아 있었다. 며칠을 두고 보아도 늘 변함없는 모습이었다. 수업이 끝나 일어나 나가는데 보니 자그마한 키가 우선 부담이 없고 티없이 깨끗한 피부에 빛나는 큰 눈이 단번에 호감 가는 얼굴이었다. 복도에서도 수다스럽거나 허둥대지 않고 누구에게나 친절했다. 어느 날 그녀가 옆자리의 친구와 피츠버그에 대해 이야기하고 있어 기회다 싶어 얼른 끼여들었다.

"피츠버그를 잘 아십니까?"

"그런데요?"

"그곳에 대해 알고 싶은데 도와 주시겠어요?"

"우리 집이 피츠버그에 있어요. 뭐든지 물어 보세요."

이게 웬 행운이냐 싶었다.

"저는 폴 신입니다."

"다나예요."

일단은 성공이었다. 피츠버그 대학원에 가게 된 사연을 설명하고 전화번호를 받아 냈다. 주말을 애타게 기다려 전화를 걸어 망설이는 그녀를 설득해 간신히 저녁식사 약속을 하는 데 성공했다.

독일에서 가져온 폴크스바겐을 몰고 아파트로 가 그녀를 태우고 근처의 중국 식당으로 갔다. 거기서 우리는 나온 음식이 다 식어 버릴 때까지 피츠버그 이야기에 열을 올렸다. 그날 이후 우리는 서로 호감을 느끼는 친구가 되었고 떠나야 하는 날이 얼마 남지 않았기 때문에 나는 거의 매일 그녀에게 데이트를 신청했다.

어느 주말 교회에서 창립 기념 등산을 가는데 다나는 긴 치마를 입고 나타났다.

"왜 항상 치마만 입지요?"

"우리 엄마가 여자는 치마를 입어야 한대요."

'미국에도 이렇게 엄마 말을 잘 듣는 순진한 아가씨가 있었나?' 하는 생각에 피식 웃음이 나왔다.

어쨌든 불편한 치마 덕분에 가파른 길을 오르내릴 때마다 그녀의 손목은 내 몫이 되어 행복한 등산을 다녀왔다.

이제 곧 떠나야 하는데 다나에게 아무 말도 못해 전전긍긍하던 중에 「웨스트 사이드 스토리」라는 영화를 보게 됐다. 주인공 두 남녀가 원수일 수밖에 없음에도 그 상황을 초월하여 사랑을 나누다 결국 남자 주인공이 죽음으로 슬픈 결말을 맞는 내용이었다. 영화에 자극을 받은 나는 그녀의 아파트 앞에 차를 세워 놓고 용기를 냈다.

"아무래도 다나 당신을 사랑하고 있는 것 같습니다."

"그 말은 나와 결혼하고 싶다는 뜻인가요?"

뜻밖에 앞질러 정곡을 찌르는 바람에 잠시 할 말을 잊었다.

"저도 생각해 봤어요. 결혼할 수 없다고는 생각 안 해요. 하지만 아직 사랑한다고는 말할 수 없어요."

승낙인지 거절인지 감이 잡히지 않았다.

"기다려 주실 수 있겠어요?"

완곡한 거절이 분명했다. 낙담한 나는 빨리 포기하려고 애썼다. 그런데 몇 주일이 지나서 뜻밖에도 그녀로부터 전화가 걸려왔다.

어떤 대답을 듣게 될까? 그녀를 데리러 가는 동안 두근거리는 가슴이 가라앉지 않아 차에 있던 지도를 펼쳐 놓고 공동묘지를 찾아보았다. 묘지는 나에게 두려움을 없애 주고 평안을 주던 곳이었기 때문이다.

그녀를 태우고 지도에서 확인한 묘지를 찾아가는 동안 우리는 아무 말도 못 했다. 그녀가 나의 청혼을 받아 준다고 해도 나 때문에 그녀까지 백인 사회에서 무시당할 것을 생각하니 마음이 무거웠다. 또 그녀의 부모는 뭐라고 할 것인가? 어머니는 한국 여자와 결혼하라고 강력히 주장하고 있는데……. 얽히고설킨 생각 속에서 차를 세웠다.

"여긴 왜 오셨어요?"

놀라서 큰 눈이 더 커진다.

"나는 묘지가 편안합니다. 마음을 편하게 해 줘요. 괜찮으시면 그냥 여기서 이야기하죠."

"참 이상하시네요."

그녀는 달갑지 않은 표정으로 묘지 옆 잔디밭에 앉더니 입을 열었다.

"저도 결혼하고 싶은 생각이 있어요. 처음에는 폴이 동양인이라서 더 친절하게 대해 줘야 한다는 생각뿐이었는데……. 하지만 우리 부모님이 반대하시면 할 수 없어요."

뜻밖이었다. 그녀가 사랑스럽기보다 너무 고마웠다.

"어떻게 하면 허락을 받을 수 있죠?"

흥분과 걱정으로 뒤범벅이 된 우리는 그녀의 아파트 복도에서 전화를 걸었다.

"엄마? 나야."

"네가 어쩐 일이냐?"

"무슨 일일 것 같아? 맞춰 봐."

"뭐라고?"

"나…… 결혼하고 싶은 사람 찾았어."

"누군데?"

"폴 신!"

"신? 신이라면……."

잠시 침묵이 흘렀다. 신이라는 성에 벌써 동양인임을 눈치챈 것 같았다. 아버지가 전화를 받은 후에도 역시 똑같은 대화가 반복되더니 곧 이어 나를 바꿔 주어 별수없이 수화기를 받아 들었다.

"당신이 어떤 사람이며 왜 내 딸과 결혼하려는지 설명해 주겠소?"

"저는 브리감영 대학을 졸업하고 가을에 피츠버그 대학원에 들어갑니다. 따님을 사랑합니다. 결혼을 허락해 주십시오."

"내 딸을 먹여 살릴 자신과 행복하게 해 줄 자신이 있소?"

"그렇게 하겠습니다."

"지금은 대답할 수 없소. 이곳으로 온다니 그때 봅시다."

일단 시간을 벌어 놓았다.

"이 사회가 아직 인종 차별이 심한데 부모님이 허락해 주실까?"

"너무 걱정하지 마세요. 동부는 이곳보다 동양인이 많아요. 더구나 우리 부모님은 하나님의 사랑을 체험한 분들이세요."

"부모님께 좋은 인상을 줄 수 있을지 걱정스럽군요."

"우리 엄마가 더 힘들 거예요. 그리고 우리 엄마는 옷을 단정하게 입는 사람을 좋아해요."

어릴 때는 주워 입고, 미국에 온 후에는 얻어 입고, 자립한 이후에는 구세군 창고에서 구제품을 사 입던 내게 좋은 옷이 있을 리가 없었다. 거금을 들여 새 양복을 준비한 후 폴크스바겐에 짐을 싣고 피츠버그로 떠났다. 사랑하는 다나와 키스 한 번 하지 못한 채, 새로운 도전을 위해 펜실베이니아 주 피츠버그를 향해 자동차를 몰았다.

예비 사위의 처가살이

3일 동안의 지루한 운전 끝에 피츠버그에 도착해 학교에서 주선해 준 하숙집을 찾아갔다. 이튿날 아침, 새로 산 양복을 입고 정성 들여 멋을 낸 후 교회로 찾아갔다.

남자들의 성경 공부 방에 들어가니 사진에서 본 다나의 아버지가 나를 보고 다가왔다. 악수를 나눴지만 서로 긴장해 우리는 무슨 말을 해야 할지 몰라 입을 다물어 버렸다. 한동안 어색한 침묵이 흐른 후 마침 예배 시간이 되어 본당으로 들어갔다. 고등학생인 다나의 동생 글로리아가 호들갑을 떨며 반겨 분위기가 조금 부드러워졌다. 다나의 어머니가 보이지 않아 예배 도중에 살며시, “엄마 어디 계시니?” 하니 여기 있다며 글로리아가 살짝 비켜섰다. 바로 옆에 앉아 있으면서 인사도 않고 숨어 있었던 것이다. 그녀는 마지못해 눈으로 인사를 받기는 했으나 어림도 없다는 듯 단호한 표정을 짓고 있었다. 그도 그럴 것이 아무리 둘러봐도 동양인이라고는 나 혼자였다. 스켁스 집안에 웬 동양인이냐는 듯 너도나도 돌아보고 훑어보는 눈치였다.

예상은 했지만 막상 당하고 보니 등에서 식은땀이 흘렀다. 예배가 끝나고 서로 머뭇거리는데 "우리 집에 가서 식사나 합시다" 하며 다나의 아버지가 먼저 입을 열었다. 10대의 호기심으로 가득한 글로리아가 기다렸다는 듯 깡총거리며 내 차에 올랐다. 집으로 가는 동안에도 쉬지 않고 떠들어 대어 그 살벌한 분위기에서 크게 위로가 되었다. 붉은 벽돌의 2층집 앞에 차가 멈추어 서자 다시 긴장이 감돌았다. 집 현관에서 다나의 어머니가 재빨리 아래위로 내 차림새를 살피더니 아무 말 없이 먼저 안으로 들어가 버렸다.

식사 중에는 주로 다나의 아버지가 얘기를 주도했다.

"대학원을 마치면 뭘 할 건가?"

"외교관이 되려고 합니다."

"자네와 우리 딸의 결혼 문제는 좀더 두고 봐야겠네."

"기다리겠습니다."

당장 반대한다는 소리를 듣지 않은 것만도 다행이었다.

하숙집에서 학교에 다니고 일요일이면 교회에서 다나의 가족들을 만났다. 가끔 식사 초대를 받기도 했는데 어느 일요일 저녁 식사 중에 다나의 아버지가 뜻밖의 제안을 했다.

"여기서도 다닐 만한데 아예 우리 집으로 들어오면 어떨까?"

순간 분위기가 찬물을 끼얹은 듯 얼어붙었다.

"네? 무슨 말씀이신지?"

"여기로 들어오라는 걸세."

"그래도 될지……."

"당장 가서 짐을 챙겨 오게!"

"그렇게 하겠습니다."

다나의 어머니는 너무 놀라 아무 말도 못 하고 우리 두 사람을 번갈아 쳐다보고만 있었다.

서둘러 하숙집으로 가서 짐을 싸 들고 왔더니 다나가 쓰던 2층의 방을 내주었다.

'다나의 냄새인가?'

코로 한껏 숨을 들이쉬자 가슴이 뭉클했다.

'다나! 착하고 아름다운 나의 다나.'

켄터키 농가에서 태어난 다나의 아버지 스켁스 씨는 고등학교 졸업 후 철도국에 들어가 40년 동안 한 직장에 몸담아 왔다. 새벽 5시면 일어나 직장에 나가고 주말은 가족과 함께 교회에서 지내는 생활을 평생토록 반복해 온 성실한 가장이었다.

그에 비해 넉넉한 집안에서 자란 다나의 어머니는 키가 크고 귀티 나는 외모에 말이 없어 냉정해 보였다. 새벽이면 남편의 아침을 준비해 놓고 자기 방으로 들어간 후 내가 6시에 일어나 아침을 찾아 먹고 나가도록 내다보지도 않았지만 내 점심 샌드위치는 잊는 법이 없는, 자신의 책임을 다하는 성격이었다.

주말에 들락거리는 것으로도 모자라 이젠 아예 그 집에 눌러살게 되자 동네 사람들은 말이 많았다. 궁금증을 못 이겨 물어오는 사람들을 향해 다나의 어머니가 말했다.

"국제 결혼을 해도 문제가 없을까요? 법으로도 허락하지 않는데 나는 반대입니다."

그 말을 들은 사람마다 어려울 것이라며 마음놓고 맞장구를 쳤다.

매사에 지나치게 깔끔하고 단정한 그녀는 자식들에게조차 화장을 하지 않은 얼굴은 보여 주지 않았다. 또 화장실에 갈 때도 양말에 신발까지 챙기니 나 역시 극도로 조심하지 않을 수가 없었다. 처음 양아버지 집에 왔던 때보다 더 조심하고 살아야 했다. 시집살이가 따로 없어 하루하루 살이 내릴 지경이었다. 더구나 그녀는 나와 단둘이 있는 것을 싫어해 밤늦도록 도서관에서 시간을 때울 수밖에 없었다. 그 덕분에 대학 때보다 더 좋은 성적을 얻게 되었다.

다나와 나는 한 달에 한 번 정해진 시간에 통화하고 대신 매일 편지를 썼다. 그 즈음 다나의 학교 생활은 나를 감동시키고 또 안타깝게 했다. 그녀는 결혼할 사람이 있다며 파티 때는 주방에서 케이크을 자르고 펀치를 만드는 일을 자청했다. 나를 만나 사랑받고 대접받기는커녕 놀림거리가 되고 부엌데기가 되다니 너무나 마음이 아팠다.

다나의 아버지는 나를 직장으로 불러 점심을 사 주기도 했고, 글로리아는 함께 영화를 보러 다녔다. 식구들의 호의적인 반응에 초조해진 다나의 어머니는 교회 지도자에게 편지를 보냈다.

"친애하는 지도자님, 저의 사랑하는 딸 다나가 한국인과 국제 결혼을 하겠다고 합니다. 제 생각에는 저들이 교회나 사회, 가족의 축복을 받지 못할 것 같습니다. 현명하신 조언을 부탁드립니다."

그녀는 자신의 기대에 부응하는 답장을 받았다.

"유색 인종과 결혼한다고 교회의 축복을 받지 못할 이유는 전혀 없습니다. 그러나 이 사회가 법으로 금하고 있고 아직 인종 차별이 심합니다. 교회 안에서도 갈등이 있을 것이며 사회에서 받아 주지 않을 것입니다. 무엇보다 혼혈 자녀를 낳으면 장차 자녀들이 갈등을 겪을 것이니 여러 모로 볼 때 권장할 일이 못 된다 생각합니다."

마치 지원 부대라도 얻은 듯 자신감을 얻은 다나의 어머니는 보는 사람마다 붙잡고 편지를 보여 주며 노골적으로 반대 의사를 드러냈다.

크리스마스가 다가오고 있었다. 기차로 시카고까지 와서 다시 펜실베이니아로 오는 다나를 맞기 위해 시카고로 갔다. 몇 달 만에 만난 우리는 손을 잡는 것 외에는 엄두도 내지 못하고 그 동안 쌓인 이야기를 나눴다.

방은 달랐지만 한집에 있는 것이 어색해 내가 다른 곳으로 잠자리를 옮겼다. 아침이면 집으로 와 하루 종일 함께 돌아다니며 시간을 보내는데 다나의 어머니는 우리의 일거수일투족을 촉각을 곤두세우고 지켜보고 있었다. 그녀의 눈에 우리는 한 가지도 어울리는 것이 없는, 기우는 짝으로 보였기 때문이다.

그녀는 참다못해 다나에게 편지를 보여 주며 설득했다.

"엄마, 세상 사람들이 뭐라든 하나님은 똑같이 사랑하세요. 또 그렇기 때문에 더 내가 폴을 지켜 줘야 해요."

다나의 확고한 태도에 그녀는 더 이상 아무 말도 못 했다. 개강일이 되어 다나는 유타로 돌아가고 다시 나 혼자 남았다.

미래의 처갓집 생활도 벌써 8개월째인 5월 초, 아래층에서 다나의 아버지가 부르는 소리가 들렸다.

"폴! 나의 아들 내려와 보게나."

'아들? 아들이라면 이제부터 나를 아들로 삼겠다는 건가?'

내 귀를 의심했다.

'영어권에서는 사위를 법적인 아들로 칭하지 않는가?'

날 듯이 뛰어내려갔다.

"오늘부터 너희의 결혼을 허락하고 축복을 빌기로 했다. 아직 대부분의 주들이 국제 결혼을 인정하지 않고 인종 차별이 심하니 결코 순탄치는 않을 거다. 그러니 너희 둘이 남보다 더 사랑하고 참아야 헤쳐 나갈 수 있어."

다나의 어머니가 어떻게 생각하는지 궁금했지만 눈물이 앞을 가려 보이지 않았다. 아버지는 다나에게 먼저 전화한 후 다른 형제들에게 차례로 전화를 걸어 소식을 알렸다.

"3개월 후면 다나가 졸업하고 자네도 여름 방학이니 그때 결혼식을 올리세. 그렇게 알고 준비하게."

나는 작은 다이아몬드가 박힌 반지를 약혼 기념으로 다나에게 보냈다.

그날 이후 다나의 어머니는 내게 조금씩 마음을 여는지 씽긋 웃기도 했다. 그리고 다나의 아버지가 심장마비로 쓰러져 병원에 있는 동안 평생 운전을 해 본 적이 없는 다나의 어머니를 태우고 다니느라 우리는 함께하는 시간이 잦아졌고 퇴원할 무렵에는 서로 편안하게 의지하는 한가족이 되었다.

결혼 후에도 내가 대학원을 마칠 때까지 한집에서 살았고 몇 년 후 장인이 돌아가시자 장모는 아예 우리와 함께 살았다.

79세로 돌아가실 때까지 18년 동안 살림꾼 장모는 우리 아이들을 키워 주었다. 또 내 식탁에 김치, 깍두기가 떨어지지 않게 했으며 어리굴젓에 약식까지 만들어 내 입맛을 돋워 주곤 했다. 게다가 내가 한인 사회에 발을 들인 후부터 끊이지 않던 한국 손님들을 언제고 싫은 내색 없이 접대했다.

장모님이 있다 보니 우리 집은 6남매의 본부가 되어 그들의 어려움도 다나와 내가 해결해야 할 몫이었다.

장모의 70회 생일날 1백여 명의 친지를 초대해 3일 동안 파티를 열고 옥에 다이아몬드가 박힌 반지를 선물하자 나를 끌어안고 고백하셨다.

"폴! 자네는 내 최고의 사위야!"

가난한 6월의 신부

6월이 되자 우리의 결혼식이 코앞으로 다가왔다. 6월의 신부는 행복해진다니 더 바랄 것이 없었다.

장인과 장모는 기차를 타고 유타로 떠나고 나는 차를 몰고 따라갔다. 그토록 노력해서 마침내 그 소원이 이루어지려는 참인데 어쩐 일인지 마음 한구석이 착잡했다.

'과연 내가 가장이 되어 한 가정을 제대로 이끌어 갈 수 있을까? 나 때문에 다나까지 차별을 당할 텐데……. 아이들은 혼혈아로서 어려움과 고통이 따를 텐데 잘 이겨 낼까? 그러나 이제는 돌아갈 수 없는 길. 최선을 다할 수밖에…….'

끝없는 생각에 빠져 이틀 동안 모텔에 한 번 들르지 않고 달렸다. 먼저 아버지 집으로 갔더니 기뻐하는 아버지와는 달리 어머니는 건성으로 인사를 건네고는 결혼식에는 가지 못한다고 못을 박았다.

안 그래도 걱정투성이인 내 마음에 무거운 돌을 하나 더 얹은 듯했다.

아파트로 가서 짐을 내리는데 다나가 뛰어나와 입을 맞췄다. 순식간에 벌어진 일이라 좋은 줄도 모르고 얼굴만 빨개지고 말았다. 마냥 철없고 순진한 다나를 보니 이제까지의 모든 걱정이 아침 안개처럼 사라졌다.

다음 날 이른 새벽, 다나가 빌려 온 차와 내 차에 식구들을 태우고 국제 결혼을 인정하는 캘리포니아 주로 출발했다. 10시간 만에 LA에 도착해 다나의 큰언니 집에 짐을 풀었다.

아침을 먹고 혼인 신고를 하러 군청에 갔다가 놀라운 사실을 발견했다. 나는 이제까지 다나가 대학을 졸업한 성숙한 아가씨라고 생각해 왔는데 초등학교와 중학교 때 월반을 해서 이제 겨우 19세였던 것이다.

'세상에 열아홉 살이라니!'

28세인 나보다 아홉 살이나 어린, 아직 소녀 티도 못 벗은 아가씨를 아내로 맞자니 너무 당혹스러웠다. 안절부절못하다가 결국 들고 있던 밀크 셰이크를 결혼 예복으로 마련한 다나의 투피스와 내 단벌 양복에 다 쏟고 말았다.

자리에 누웠지만 몸은 천근만근인데 두 눈은 말똥말똥 잠이 오지 않았다.

'이 밤만 새면 나는 식구 딸린 몸이 되는데 인종 차별을 당연하게 여기는 이 사회가 내게 설 자리를 줄까? 가족들이 고통받을 때 어떻게 위로하고 도와 주나? 내 은인이고 후원자인 양부모님마저 반대하는 결혼인데 어렵고 힘들 때 누가 우리를 도와 줄까?

나는 거의 1년이나 노력해 얻은 열매를 눈앞에 두고 새로운 고민에 빠졌다.

'하나님, 주의 백성이니 주께서 책임져 주실 것을 믿습니다. 주님만 의지합니다.'

엎드려 기도하고 나서야 마음이 평안해져 새벽잠이 들었다.

성전으로 가 예식 준비를 한 뒤 가족들만 모인 조촐한 결혼식을 올렸다. 교회 감독도 걱정이 깃들인 주례사를 했다.

"미국은 축복받은 나라지만 사회적으로는 문제가 많습니다. 두 사람이 서로 믿고 인내하며 하나님만 의지하여 모든 고난을 이겨내기 바랍니다."

너무 긴장해 다나의 얼굴 한 번 제대로 보지 못하고 식이 끝났다.

"폴! 나의 아들, 축하한다. 다나와 행복하게 살아 다오."

장모가 먼저 다가와 안아 주었다. 피로연장인 힐턴 호텔로 가니 친척들과 친구들이 축하하기 위해 모여 있었다. 어머니의 마음을 상하게 할까 봐 결혼식에 참석하지 못한 아버지가 친척을 통해 축전과 돈을 보내왔다.

"좋은 시간 가져!"

"좋은 꿈 꿔!"

친구들의 인사를 받는라 머뭇거리는 다나를 태우고 캘리포니아 북쪽 휴양지인 카멜로 신혼여행을 떠났다.

산타 바바라에서 첫날밤을 보내기로 했는데 도착하니 저녁 7시였다. 아직 날도 훤한데 모텔로 들어가려니 다리가 떨렸다. 카운터

나의 신부 다나와 함께

청순하고 포근한 다나와는 달리 움츠러들고 찌푸려 있는 나였다. 부부는 살다 보면 닮는다는데…….

앞에서 다나와 눈이 마주치자 더 쑥스러워 방으로 들어갈 자신이 없었다.

"우리 좀더 가지!"

얼른 차로 돌아와 핸들을 잡고 북쪽으로 달렸다. 마침내 새벽부터 긴장했던 몸이 더 이상은 못 버티겠다는 신호를 보내왔다. 비율턴이라는 도시로 빠지며 시계를 보니 벌써 밤 12시였다.

"우린 아직 저녁도 안 먹었잖아?"

모텔로 들어갔던 우리는 다시 나와 건너편 식당에 앉아 공연히 이런저런 얘기로 시간을 끌었다. 새벽 2시가 넘어 모텔로 돌아와 쿵쾅거리는 심장 소리를 들으며 첫날밤을 맞았다.

벌어진 커튼 사이로 들어온 햇살이 옆에 누운 다나의 흐트러진 머리카락을 비추고 있었다. 핑크 입술에 핑크 잠옷, 날씬하면서 통통한 작은 몸을 맥놓고 새근거리며 자는 모습이 마치 아기 천사 같았다.

'하나님이 내게 주신 이 여인을 내 몸처럼 사랑하고 보호하리라!'

간단히 아침을 먹고 몬테레이, 카멜로 향했다. 그 유명한 '17마일 드라이브' 길로 들어서 영화배우들이 많이 사는 길가의 화려한 저택들을 부러워하며 바라보다가 언젠가는 다나에게 꼭 이런 집을 사 주리라 혼자 다짐했다. 수줍음 많던 다나가 이제는 먼저 팔짱을 끼고 뺨에 뽀뽀를 해 왔다. 그러나 들떠서 조잘대다가도 사람들과 눈이 마주치면 금방 주춤거렸다. 신기한 듯 다시 보는 사람, 경멸의 표정으로 훑어보는 사람, 그들의 눈길이 부담스러워 여행을 계속할 기분이 나지 않았다.

'새 바위' 지점에 차를 세우고 사진을 찍었는데, 우리 둘의 다정한 모습을 찍어 줄 사람을 찾지 못해 끝까지 독사진밖에 찍을 수가 없었다.

이틀째 밤을 보낸 우리는 유타로 차를 돌렸다. 이런저런 결혼 비용으로 얼마 남지 않았던 돈이 그나마 다 떨어졌다. 이틀 길을 하루만에 가기 위해 쉬지 않고 달렸다. 운전을 하며 조는 나를 깨우기 위해 다나는 서툰 솜씨로 노래를 부르기도 하고 그것도 안 되면 꼬집기도 했다. 그럴 때마다 아픔과 함께 짜릿한 쾌감에 소스라쳤다.

이제는 혼자가 아니라 둘이란 것에.

28년 만의 행복

유타로 돌아온 다음 날부터 다나는 학교로 나는 일터로 나가야 했다. 다나는 아직 채우지 못한 학점 때문에 여름 학기를 다녀야 했고 나는 가장이 되었으니 생활을 위해 돈을 벌어야 했기 때문이다. 다나가 임신하게 될지도 모른다고 생각하니 더 초조했다. 항상 나에게 일자리를 주던 엘리베이터 회사로 향했다.

지난 1961년 여름의 일이었다. 공사판에서 일을 끝내고 돌아가는 길에 우연히 건물 안을 들여다보니 건축에 관해 강의를 하고 있어 밖에서 듣다가 흥미가 생겨 안으로 들어가 앉았다.

"어떻게 오셨습니까?"

"재미있는데 들어도 될까요?"

"글쎄요. 직원이 아니면 안 되는데요."

"강의를 듣는 대신 청소라도 해 드리면 안 될까요?"

그날부터 청소를 해 주며 강의를 들었다.

"지금 무슨 일을 하고 있습니까?"

"공사장에서 땅 파는 일을 하고 있습니다."

마침 엘리베이터 회사 사장이었던 그분이 자기 회사에서 일해 보라고 권했다. 날마다 흙먼지를 하얗게 뒤집어쓰던 나는 그날 이후 시간당 95센트를 받던 인부에서 2달러 50센트를 받는 기술자가 되었다.

어느 날 엔지니어의 보조로 나사를 조이는 일을 하는데 30분만 더 하면 끝날 일을 두고 엔지니어는 퇴근 시간이라며 가 버렸다. 엘리베이터를 내렸다가 다음 날 다시 올려 일을 하자면 45분을 허비해야 했다. 내 생각에는 너무 어리석은 일인 것 같아 혼자서라도 일을 마치려고 하는데 마침 지나가던 사장이 보았다.

며칠 후 그 주의 주급을 타는 날이었다.

"아니 폴 군, 지난 번에 잔업을 하던데 왜 잔업 수당을 신청하지 않았지?"

"그거야 다음 날 시간을 절약하기 위해 한 일이었으니 당연하죠."

"폴 군은 이 엘리베이터 회사의 영원한 직원이오."

그 인연으로 이듬해 여름 방학 때도 그 회사에서 일을 했고 결혼 후에도 그 회사를 찾아갔던 것이다.

1967년 시애틀로 이사 와 박사학위 과정에 있을 때도 여름 방학이면 그 회사에서 일했다. 먼지가 덜 나는 일이고 무엇보다 비 맞을 일이 없어 좋았다. 공사장이 먼 곳에 있을 때는 아침 일찍 나가서 밤이 늦어서야 집으로 돌아오곤 했다.

학교에서 돌아온 다나가 저녁을 지어 놓으면 나는 설거지를 한 후 함께 TV를 보며 밤 시간을 보냈다. 금요일 저녁은 외식 후 집에서 영화를 보며 팝콘을 먹곤 했으며 토요일에는 다나가 밀린 공부를 하는 동안 내가 청소와 빨래를 했으며 저녁에는 친구들을 만나거나 손님을 초대했고 일요일은 교회에서 보냈다. 밤늦게 들어가도 식탁을 차려 놓고 기다리는 다나는 엄마 같았기도 했고, 한편으로는 아이스크림이나 꽃을 받아 들고 좋아하는 것이 아빠를 기다리는 어린애 같기도 했다.

다나의 옷과 내 옷이 세탁기 속에서 함께 뒤엉켜 돌아가는 것을 보고 있으면 나와 한몸인 다나가 있다는 것에 야릇한 희열을 느끼곤 했다. 토요일 저녁에 아버지와 함께 다나와 내가 차린 식탁을 마주하고 앉으면 '행복이 이런 것이구나' 하고 알 것 같았다. 하지만 어머니는 내가 어머니의 말을 듣지 않은 것에 계속 화를 내고 있었다. 우리가 찾아가지 못하는 대신에 아버지가 자주 우리를 찾아 주었다. 다나의 여름 학기가 끝나자 유타에서의 피곤하고 바쁜 신혼 생활도 3개월로 끝났다.

그 사이에 늘어난 살림들을 폴크스바겐 지붕에 싣고 다음 날 일찍 떠날 채비를 끝내 놓았다. 밤에 아버지가 찾아왔다. "가서 공부 잘 하고 와" 하며 끌어안는데 느닷없이 눈물이 쏟아졌다. 아버지도 왠지 그날은 눈물을 감추지 못했다. 그때 이후로는 40년이 다 되도록 유타를 방문해도 한번도 오래 머물지 못했다.

돈이 부족한 탓으로 신혼여행을 제대로 못했기 때문에 피츠버그로 가는 도중은 여행삼아 갔다. 와이오밍 주의 옐로스톤을 거치고 거대한 티탄마운틴을 넘어 기나긴 미시간 호수를 지나 오하이오를 달려서 펜실베이니아로 간 것이다. 높은 산 험한 길을 손에 땀을 쥐며 운전할 때면 다나는 곁에서 숨죽이며 지켜보고 사슴 같은 동물들이라도 나타나면 어린아이처럼 좋아서 어쩔 줄 몰라했다.

"어머! 우리 집보다 더 크고 너무 멋져요. 우리 거라면 얼마나 좋을까!"

마가렛 할머니가 내게 유산으로 남겨 주었던 미시간 호숫가의 별장을 보더니 안타까워 발을 동동 굴렀다.

5일 만에 처갓집에 도착하자 장인 장모가 조른다.

"얘들아, 우리가 방해가 되겠지만 공부 마칠 때까지라도 제발 함께 살자꾸나."

오는 길 내내 독립하여 살자고 굳게 약속했지만 장인의 건강이 전 같지 않아 함께 살기로 하고 주저앉았다. 마침 다나가 은행에 취직하게 되어 아침 저녁으로 함께 출퇴근하는 생활이 시작됐다.

피스코 동양사 특별 강사로 초대되어 시카고에 갔을 때의 일이다. 손을 잡고 호텔을 나오는 우리 부부의 모습이 주변에서 얼쩡거리던 깡패들의 눈에 띄었다. 안 그래도 심심하던 차에 우리 부부의 출현은 당연히 놓칠 수 없는 건수였다. 그들은 순식간에 우리를 둘러싸고 시비를 걸기 시작했다.

"동양 녀석이 감히 백인 여자의 손을 잡다니 매운맛을 좀 봐야 정신을 차리겠구나!"

나이는 어려 보였지만 덩치는 어른 못지않은 아이들이라 쉽게 물러날 것 같지 않았다.

"다나, 어서 호텔로 들어가."

"싫어요, 폴! 혼자는 안 가요."

"잔소리 말고 들어가!"

소리를 지르자 다나는 깜짝 놀라 호텔로 들어갔다. 싸워 봐야 이길 수도 없고 만일 이긴다 해도 서로 다칠 것이 뻔한 일이라 머리를 썼다.

"자, 덤벼라! 네놈들한테 오늘 유도 맛을 보여 주겠다. 내가 유단자라는 것을 미리 밝혀 둔다. 누구든지 나오기만 해라!"

엉터리 폼을 잡고 제일 마음이 약해 보이는 녀석에게 다가갔다. 그 녀석이 움찔움찔 뒷걸음질을 치자 모두 돌아서서 도망치고 말았다. 다나가 뛰어와 나를 끌어안는데 두 사람 가슴이 똑같이 방망이질하고 있었다. 앞으로 살아갈 일을 생각하니 암담했다.

이듬해 대학원을 졸업하고 박사 과정을 계속하자니 피츠버그 대학의 동양사 분야에는 부족한 점이 많았다. 게다가 독립하고 싶고 안정된 직업을 구해 다나에게 잘 해 주고 싶어 브리감영 대학 하와이 캠퍼스에서 강의를 맡기로 했다.

6월 초, 몬태나에서 건축업을 하는 다나의 큰오빠가 전화를 했다.

"너희들 하와이에 갈 때까지 우리 집에 와 있으렴. 우리 회사에서 일도 할 수 있고 이 기회에 나도 폴과 사귀고 싶다."

남은 3개월 동안 뭘 할까 생각하던 중이라 부랴부랴 짐을 꾸렸다. 원치 않았던 사위였지만 예비 사위 생활까지 2년을 함께 사는 동안 정이 든 터에 딸까지 데리고 떠나니 더 섭섭해하는 장인 장모를 뒤로하고 안타까운 순간을 빨리 넘기기 위해서라도 핸들을 꺾고 액셀러레이터를 밟았다.

도착한 날 저녁, 처남이 내게 물었다.

"자네 무슨 일을 할 수 있나?"

"네? 대학에서는 정치를 전공했고 석사는 국제 정치를 했습니다."

"트럭이나 레미콘 운전은 해 봤나?"

"못 하는데요."

"그럼 목수 일은?"

"그것도 해 본 적 없습니다."

"그래? 어쨌든 내일 아침 일터로 오게."

다음 날 일찍이 흰 와이셔츠에 넥타이를 단정히 매고 나갔더니 점퍼 차림의 처남이 빗자루 하나를 주었다. 깜짝 놀라는 내게 이제 막 새로 지은 아파트의 꼭대기 층부터 쓸라는 것이다.

'석사까지 끝낸 내게 겨우 빗자루질이라니!'

사무직을 줄 거라고 은근히 기대했기에 더 화가 났지만 건설회사에서 내가 할 수 있는 일이라고는 그것뿐이니 어쩔 도리가 없었다.

겨울이 추운 내륙 지방이라 6피트쯤 깊게 땅을 파고 상수도관을 묻는데 조수인 내가 구덩이 속으로 들어가 깊이를 재다가 그만 흙이 무너져 다리가 파묻혀 버렸다. 금방 다리가 저리고 아파 오기 시작해 쩔쩔매고 있는데 마침 그곳을 지나던 처남이 내 꼴을 보더니 껄껄 웃었다.

"어서 나와서 나랑 점심이나 같이 하세."

빠져나오도록 도와 주지도 않고 가 버렸다. 자주 있는 일이라 처남은 대수롭지 않게 여겼을 터였다. 그러나 정말로 화가 난 나는 애꿎은 다나에게 화풀이를 했다.

"당신 오빠는 내가 동양인이라고 차별하고 있어! 멀쩡한 사람 불러다가 바보 만들고 있다고!"

다나는 큰 눈망울을 굴리다가 눈물만 흘릴 뿐 별 대꾸가 없었다. 한번 섭섭한 마음을 갖기 시작하자 매사가 삐딱하게 보였고 혼자 속상해하고 참다 보니 스트레스가 쌓여 갔다.

드디어 8월 말! 하와이로 가야 했다. 남은 며칠 동안 전에 보았던 옐로스톤을 다시 보러 떠나려는데 날아갈 것만 같았다. 어려운 공부와 처남의 구박에서 벗어나 자유를 얻은 한 마리 새 같은 기분이었는데 갑자기 항문에서 피가 쏟아지기 시작했다. 놀라서 병원에 갔더니 신경성 위궤양이란다. 부모에게 물려받은 것이라고는 건강뿐이라고 불평해 왔건만 병원에 누워 있자니 돈이나 학위가 건강 앞에서는 종이조각에 불과했다.

놀란 다나가 옆을 떠나지 않고 간호하고 눈물로 기도하는 모습이 애처로웠는데 뜻밖에 회복이 빨라 제날짜에 하와이로 갈 수 있었다. 하와이에서도 6개월에 걸친 물리치료와 식이요법을 병행한 끝에야 완치될 수 있었다.

1967년 우리가 바닷가인 시애틀로 이사하자 낚시를 좋아하는 큰 처남은 자주 우리 집에 놀러 왔다.

"처남, 기억하세요? 흰 와이셔츠에 양복을 빼 입고 첫 출근한 내게 빗자루 하나 내어 주신 일과 흙에 다리가 묻힌 나를 빼내 주지도 않고 웃고 지나가신 일을요. 그것 때문에 스트레스받아 병이 나 고생한 것을요."

처남은 여전히 껄껄거리는 너털웃음으로 대답을 대신했다.

초등학교도 못 나온 교수님

지상낙원, 환상의 섬이라고 불리는 하와이에 도착했다.

호놀룰루 공항에 내려 1시간 반쯤 차를 타고 가니 야자수와 어우러진 대학 캠퍼스가 바닷가에 자리잡고 있었다. 철썩이는 파도 소리를 들으며 찾아간 교수 사택에는 방 2개와 화장실이 하나 있었고, 거실과 식당, 주방에는 간소한 가구와 살림살이가 우리 부부를 기다리고 있었다.

내 방 한 칸 없던 한국에서의 생활과 식구들 속에서 조심하며 살았던 지난 10년 동안의 생활에 비하면 다나와 나만을 위한 바닷가 단독주택이란 그야말로 환상이었다. 먼저 살던 사람이 두고 간 자전거를 타고 첫 출근을 했다. 다나가 문 밖까지 따라나와 내 자전거가 시야에서 사라질 때까지 손을 흔들어 주었다. 하루 종일 혼자서 빈 집을 지켜야 하는 다나가 안쓰러워 자꾸 돌아보았다.

온화한 가을 날씨, 바닷가 특유의 짠내 나는 공기를 가슴 깊이 들이마셨더니 속이 다 시원했다. 사탕수수밭에서 들리는 수숫대 서걱이는 소리가 마치 내 앞에 펼쳐진 새 인생을 축하하는 노래 같았다. 배정받은 연구실로 들어서다가 문에 붙은 내 이름에 눈길이 닿는 순간 가슴이 뭉클했다.

'내가 교수라니…….'

연구실 안의 책꽂이에는 주문해 놓았던 교과서들이 벌써 도착해 꽂혀 있고 참고 서적들도 즐비하게 늘어서 있었다. 창 밖으로 책을 낀 학생들이 걸어가는 모습이 보이자 갑자기 가슴이 뛰었다.

'영어도 완벽하지 못한 내가 잘 가르칠 수 있을까? 80명 교수 중에 유일한 동양인인 나를 학생들이 믿고 따라 줄까?'

눈을 감았다.

'하나님, 당신의 지혜로 채워 주시고 용기로 입혀 주셔서 학생들을 잘 지도하게 하소서.'

최선을 다해 가르치고 나처럼 어려운 학생이 있다면 힘껏 도우리라 다짐하며 강의실로 향했다.

동양사, 국제 정치, 세계 문화사 세 과목을 맡았다. 항상 빠짐없이 정리하고 다시 검토했다. 최선을 다했지만 자신이 없어 매번 떨리는 손으로 강의실 문을 열었다.

극도의 긴장 속에서 언제 지나갔는지도 모르게 첫 학기가 거의 끝나 갈 무렵이었다.

"자, 14장을 펴십시다."

"15장!"

누군가가 제법 큰 소리로 외쳤다.

늘 한 장씩 앞서 가며 준비했지만 순간 당황해서 다시 확인했다. 14장이 두 단원으로 나뉘어 있어 아직 14장이었다.

"맞아요. 그러나 아직 14장입니다."

"15장!"

이번에는 더 큰 소리였다.

분위기가 심상치 않은 것을 의식하며 둘러보니 백인과 하와이 원주민의 혼혈인 덩치 큰 남학생이었다. 무시할 수밖에 없었다.

"14장으로 들어갑니다."

"15장!"

이건 싸움을 하자는 얘기였다. 여기서 더 이상 모른 척한다면 학생이 무서워 피하는 별볼일 없는 동양인이 되고 말 상황이었다. 그 학생 앞으로 걸어갔다.

"자네는 내 수업을 방해하고 있으니 여기서 나가는 것이 좋겠네!"

"당신이 뭔데 내게 나가라 말라 합니까? 못 나가요!"

우락부락한 얼굴에 한껏 나를 조롱하는 눈빛을 담고 있었다.

"이 수업을 지켜야 할 책임이 나한테 있네! 당장 나가게!"

지지 않고 맞쏘아보았다. 그는 잠시 주저하다 책을 챙겨 들고 나가 버렸고 이마의 진땀을 닦으며 수업을 마쳤다. 자전거를 타고 집으로 돌아오는 길에는 길목을 돌 때마다 백이라는 이름의 그 학생이 덮칠 것만 같아 등골이 오싹했다. 다음 날 아침, 연구실 문을 열었더니 백이 앉아 있다가 놀라며 들어서는 내게 다가왔다.

"교수님, 사과드립니다. 다시는 수업을 방해하지 않겠습니다. 용서해 주세요."

안도의 한숨이 터졌다.

"나도 심하게 한 것 같으니 미안하네."

악수로 헤어진 우리는 친한 사이가 되었다. 백은 폴리네시안 민속촌에서 훌라춤을 추었다. 그는 우리 부부를 초대해 춤도 보여 주고 민속 요리도 대접하곤 했다. 이후 훌라댄스 배우로 발탁되어 할리우드로 간 백을 영화나 쇼 프로그램에서 볼 때면 혼자 반가워했다.

백의 사건이 있은 후 나는 자신감을 갖고 학생들을 대했다. 동양 학생들이 차츰 나를 따르기 시작했고, 학교측에서도 내게 동양 학생과장 자리를 주어 매년 여름이면 한국, 일본, 중국 등 여러 나라를 다니며 장학생을 선발하는 일을 맡았다. 나는 되도록 한국 학생들에게 더 많은 기회를 주려고 애썼다.

이듬해 가을에는 다나도 중학교 선생이 되었다. 두 사람 중 한 사람의 월급은 내가 박사 과정에 들어가게 될 때를 대비해 저축하고 한 사람의 월급에서 집세와 십일조를 뗀 나머지에서 3분의 1은 한국의 친아버지에게 보냈다. 남은 돈으로 생활하자니 여전히 궁색한 살림이었다.

어느 날 다나와 아리랑이라는 한국 식당에 가서 불고기와 된장찌개를 먹었다. 오랜만에 맛본 음식에 뱃속이 다 놀랐다.

'세상에 이렇게 맛있는 음식이 있었다니!'

10년 만에 먹은 김치 맛은 둘이 먹다가 하나가 죽어도 모른다는 바로 그 맛이었다.

항상 건강했던 다나가 몸이 불편하다며 아침이면 일어나지도 못

하고 밥도 제대로 먹지 못했다. 병원에 갔더니 임신 3개월이란다.

'다나가 내 아기를 가졌다니!'

고맙고 신통했다. 가슴 깊은 곳에서 강렬한 희열이 끓어올라 걷다가도 웃고 자전거를 타고 가다가도 어깨춤을 추었다. 그러나 얼마 후 출혈을 시작한 다나는 의사의 권고대로 꼼짝 않고 누워 있었지만 결국 유산하고 말았다.

"하나님이 다음에는 건강한 아이를 주실 거야. 다나가 건강하니 그래도 다행이야."

아쉽고 섭섭해 어깨가 축 늘어지고 마음이 착잡했지만, 나는 그렇게 다나를 위로할 수밖에 없었다.

한국 학생들의 수가 늘어나자 덩달아 내 일도 늘어났다. 영어를 못 하는 학생들이 수시로 내 방을 드나들었다. 학생들의 아르바이트 알선에 중매까지 별의별 일에 다 신경을 써야 했다.

석유공사 사장 비서였던 37세 노처녀 학생은 학교에 어린 학생들만 있는 것에 실망한 눈치였다. 나는 그런 그녀가 안타까워, 학생들의 일자리 문제로 자주 만났던 파인애플 농장의 중국인 매니저를 소개해 주려고 우리 집으로 불렀다. 그날 저녁을 대접받은 두 사람은 결혼에 성공했고 이후론 우리를 자기들의 집으로 불러 한국 음식을 대접하곤 했다.

크리스마스에 하와이의 한인 학생들을 위한 파티가 열렸다. 파티장으로 가려고 버스를 대절했는데 양소철이라는 학생이 보이지 않았다.

"소철이는 왜 안 보이지?"

평소 늘 외톨이라 일부러 찾았는데 모두들 우물쭈물 대답을 안 했다.

"아이, 그냥 가요, 교수님! 개는 전라도예요!"

어처구니없는 대답에 화가 나 보아란듯이 기숙사로 찾아갔더니 그는 자기 방에 우두커니 앉아 있었다.

"양소철! 모두 기다린다. 빨리 가자!"

괜찮다며 남겠다는 그를 억지로 끌고 파티에 갔다. 그 이후 우리는 서로 마음을 터놓는 사이가 됐다.

이듬해 한국에 갔을 때 그의 부탁대로 전라도 소철의 집을 찾아가자 찌개란 찌개는 모두 올라 있는 상이 기다리고 있었다. 김치찌개, 된장찌개, 두부찌개, 동태찌개…….

"선생님이 찌개를 좋아하신다기에……. 우리 아들은 세상에서 선생님을 제일 존경한답니다."

늦도록 장가를 못 가던 소철은 나중에 상냥한 부인을 얻었고 부모님을 모셔와 시카고에서 전화국에 다니며 잘 살고 있다. 지금도 내가 시카고에 가면 언제나 공항에 나와 반갑게 맞아 준다.

그 다음 해였다. 더 늘어난 학생들을 데리고 크리스마스 파티에 갔다. 모두들 먹고 마시며 얘기꽃을 피우고 있었다. 나는 한국말이 서툴러 가능하면 낯선 사람과 대화하는 것은 피하는데 한 청년이 내게 다가왔다.

"한국에서는 어느 학교를 나왔습니까?"

나이가 들어 보이는 것이 대학원생인 듯했다.

"한국에서는 학교에 못 다녔습니다."

"이런 개자식! 한국 학교도 못 다닌 놈이 여긴 왜 왔어!"

말도 안 되는 모욕을 당했지만 한국말로는 조리 있게 따질 수도 없었다. 당장에 멱살이라도 잡고 싶었지만 교수 체면에 그럴 수도 없어 밖으로 나와 무작정 걷기 시작했다. 서럽고 분해 소리내어 울면서 20마일을 걸어 5시간 만에 집으로 돌아왔다. 파티장에서 갑자기 사라진 남편을 찾다 못해 먼저 집에 와 기다리고 있던 다나가 놀란 표정으로 문을 열어 주었다.

'내 기어이 한국말을 배우고 말겠다!'

굳게 결심한 후 내 강의를 듣는 학생들에게 하나씩 물어 가며 공부를 시작했다. 교수가 되었다고 자신만만했던 나를 한국에서 교육도 못 받고 한국말도 제대로 못 한다고 '개'로 일축했던 청년. 그 청년을 어디서든 다시 만난다면 한방 때려 주리라 생각했었다. 그러나 이제는 오히려 고마워 절이라도 하고픈 심정이다.

지금도 다나는 내가 그날 밤 파티장에서 왜 사라졌으며 어디를 갔다 왔는지 모른다.

제 3 장

나는 누구인가

별을 세다 별이 되어 4

별아 너는 알았겠지
오해와 오류의 생각들을
생각들이 모여서
실망하고 분노하게 하는 것을

별아 너는 들었겠지
모욕과 멸시의 말들을
말들이 모여서
다치고 상처받게 하는 것을

별아 너는 보았겠지
교만과 독선의 행동들을
행동들이 모여서
다투고 싸우게 하는 것을

별아 너는 느꼈겠지
시기와 질투의 마음들을
마음들이 모여서
분열하고 흩어지게 하는 것을

다시 찾아온 내 조국, 내 고향

신입생 모집을 위해 동양 여러 나라들을 순회하던 중 한국에 가게 되었다. 다나에게는 한국의 초라한 모습과 비참했던 내 과거를 보여 주고 싶지 않았다. 그러나 내게 시집 왔으니 나를 알고 이해하려면 내 과거와 내 나라를 알아야 했다. 또 살아 계실지도 모르는 외할머니와 아버지에게 인사도 드려야겠기에 함께 한국을 향해 떠났다.

홍콩, 대만을 거쳐 김포 공항에 도착했다. 비행기에서 내리자 한 기자가 호기심이 가득한 얼굴로 다가왔다.

"한국에는 무슨 일로, 얼마 만에 오시는 건가요?"

"11년 만에 학생들을 인터뷰하려고 왔습니다."

"특별히 달라 보이는 것이 있습니까?"

"네, 예전보다 웃는 사람이 많군요."

몇 가지 더 꼬치꼬치 캐묻고 돌아갔는데 이튿날 신문에 의미심장한 기사가 실렸다.

“거리 소년이 11년 만에 대학교수가 되어 미국인 부인을 데리고 과거의 찡그린 얼굴을 버리고 함박웃음으로 돌아왔다. ……그가 다른 사람들의 얼굴에서 웃음을 보는 것은 바로 그 자신이 웃고 있기 때문이다.”

택시에서 본 서울 거리는 별로 달라진 것이 없었지만 반갑고도 어리둥절했다. 다나를 조선 호텔에 쉬게 한 후 혼자서 남대문 시장으로 향했다. 단 하루도 잊을 수 없었던 나의 아픈 고향이기에 많은 건물들이 새로 들어섰어도 내 손바닥처럼 훤했다. 거지들의 합숙소였던 지하도를 지나는데 아직 이른 시간인 탓인지 행인들만 오갈 뿐 거리의 소년들은 보이지 않았다.

남대문 시장 골목에 들어서니 장사꾼과 행인들로 예전보다 더 복잡했으나 과일가게, 순대국집 등은 모두 그대로였다. 예나 지금이나 국수장수, 떡장수 아주머니들은 허름한 차림새로 앉아 있었다. 전보다 대담해진 것인지 아니면 생존경쟁이 더 치열해진 것인지 목청을 높여 손님을 부르고 있었다.

짐 실은 자전거들이 오가고, 야채를 실은 수레를 보니 몰래 오이를 빼 먹다 들켜서 뺨 맞던 일이 어제 일만 같았다. 어른이 된 것도 잊고 눈물을 글썽이며 꿀꿀이죽집으로 들어가 한 그릇을 남김없이 먹어 치웠다. 내 입맛이 변한 탓인지 그 시절의 그 꿀맛이 아니었다. 왠지 서운한 마음으로 개피떡을 사서 베어물었다. 여전히 맛이 좋았다. 당장이라도 언덕 위에서 영도 누나와 운섭이가 뛰어내려올 것만 같아 연신 뒤돌아보며 서울역으로 향했다.

꿈에도 잊지 못했던 서울역!

눈과 비를 피해 찾아들었던 우리 모두의 집. 서울역은 변함없는 모습으로 다가왔다. 광장도 역 구내도 생기 있어 보이는 사람들로 가득 차 있었고 그새 늘어난 개찰구는 쉴 틈이 없었다. 동냥하는 소년의 손에 돈을 쥐어 주고 고인 눈물이 떨어질까 봐 얼른 고개를 들었다. 천장의 변함없는 문양들이 내 어린 시절의 슬픈 한을 그대로 전해 주었다. 얘기라도 나누듯 문양들을 하나하나 찬찬히 훑었다. 내가 다시 여기 이 자리에 와 있구나!

역 안팎을 휘둘러보았지만 재원이의 모습도 몽둥이를 치켜들고 달려오던 순사의 모습도 보이지 않았다. 동냥한 돈을 쥐고 남대문 시장으로 달려가고, 싸돌아다니다가 싫증이 나면 돌아오느라고 수없이 지나다닌 길이었다. 그 길을 맨발 대신 구두를 신고 걸어서 다나가 기다리는 호텔로 돌아왔다.

남겨 온 개피떡을 다나에게 내밀었더니 떫은 표정이었다. 내가 얼른 먹어 버렸다.

다음 날 신촌으로 가서 금촌행 버스를 타려고 기다리는데 백인 여자가 신기한지 다들 돌아보고 훔쳐봤다. 내가 미국에서 수없이 겪었던 일인데, 다나가 똑같은 고통을 당하니 더 마음이 아팠다. 버스가 비포장 도로를 사정없이 달려 미처 대비하지 못한 다나는 버스 천장에 닿을 듯 튀어올랐다.

마침내 금촌 땅으로 들어섰다. 산천초목은 변함없고 개구리 소리는 여전한데 외할머니가 돌아가셨으면 어쩌나 싶어 대골 마을이

가까워 올수록 더 초조해졌다. 열린 싸리문을 밀고 안으로 들어서자 외숙모가 나왔다.

"어머나! 호범이? 호범이냐? 어머니! 어머니! 호범이가 왔어요!"

'살아 계셨구나!'

"뭐야? 지금 뭐라고 했냐?"

벌컥 방문이 열렸다. 할머니가 쏟아질 듯 맨발로 마당에 내려섰다. 전보다 허리가 더 꼬부라져 이제는 나를 올려다보기도 힘겨울 듯했다.

"아이고, 이놈아! 네가 살아 있었구나! 아이고, 이게 꿈이냐, 생시냐!"

통곡하는 할머니를 붙잡고 나도 울었다.

"할머니 제 집사람입니다."

그제야 발견한 듯 낯선 외국 여자를 올려다봤다. 말없이 고개 숙여 인사하는 다나를 외숙모가 먼저 다가와 만져 봤다.

"어머나, 참 예쁘다!"

"이 사람이 내 손주 며느리라고?"

신기해 올려다보고 뒤로 물러서서 다시 쳐다봤다.

"무슨 사람이 똑 인형 같네."

마루에 올라서니 외사촌 동생들이 호기심에 가득 찬 얼굴로 서 있었다.

"멀뚱히 있지 말고 인사해라! 호범이 형이다."

"네 어미가 살아 있었다면 오늘 너를 볼 텐데…… 가엾은

년…….”

할머니는 선물로 드린 양담배를 피워 물었다.

겨우 한숨을 돌린 할머니는 다나의 손과 얼굴을 만져 보며 희디흰 백인 여자가 아무래도 실감이 안 나는지 머리카락까지 만져 보았다.

“이게 참말로 살인가? 킁! 킁! 냄새 참 좋네!”

민망한 표정이긴 했지만 다나도 싫지는 않은 듯했다.

갑작스런 손님의 출현으로 외숙모는 안절부절못하더니 과일을 내왔다. 이어 달걀부침과 찐 감자, 풋김치로 차린 저녁상이 들어왔다. 밤이 되자 온 동네 사람들이 몰려들었다. 젊은 여자들은 다나의 옷을 만져 보고 할머니들은 외할머니처럼 살과 머리카락을 만져 봤다. 다나는 이미 익숙해진 듯 가만히 대 주고 있었다.

“세상에! 어미도 없이 떠돌아다니던 호범이가 출세했어!”

“그러게. 대학교수라잖아.”

“누가 아니래! 초등학교도 못 다녔는데 말이야.”

그들은 동네 천덕꾸러기였던 나를 아직도 기억하고 있었다. 동네 사람들이 모두 돌아가고 타닥거리던 모깃불도 잦아들었다.

“네 아비는 만났냐?”

“아니오.”

“내일 당장 아비부터 찾아보거라.”

어려운 생활 속에서도 2년이나 나를 키워 준 외숙모에게 인사를 하고 일어섰다. 몇 년 후, 외할머니가 돌아가신 다음이지만 남편도 없이 시어머니 모시고 네 아이를 키우느라 농사일과 집안일로 평생을 허리 한번 마음껏 펴 보지 못하고 살아온 숙모에게 마당에 우물이 딸린 작은 집 한 채를 사 주었다.

외숙모가 가르쳐 준 대로 영등포 아버지의 집을 찾아갔다.

"아버님! 호범이가 왔습니다."

급히 방문을 열어제친 아버지는 너무 놀라 할 말을 잃고 새어머니와 동생들이 먼저 나왔다.

"제 집사람입니다. 작년에 결혼했습니다."

온 식구가 뚫어져라 우리를 바라만 볼 뿐 누구도 안으로 들어가자는 말을 못 했다. 그럴 수밖에 없는 것이 단칸 셋방에 일곱 식구가 살고 있었다.

"이렇게 손님을 세워 두실 거예요? 누추하지만 어서 안으로 들어가."

경황없는 중에도 반가운 기색이 역력한 새어머니가 먼저 방으로 안내했다.

"너, 출세했구나!"

아버지는 양복을 빼 입고 백인 부인까지 데리고 나타난 것에 안심한 듯 한마디 하고는 다시 입을 다물어 버렸다. 쑥스러워하던 동생들은 선물을 받아 들고는 금방 까불기 시작했다. 기쁨을 감추지 못 하는 새어머니의 모습을 보니 그 동안 아버지가 내 걱정을 많이 한 듯했다. 이런저런 얘기 끝에 어제 외할머니를 만났다고 했더니 아버지는 벌컥 화를 냈다. 술 탓인지 아니면 자나깨나 걱정하던 아들이 성공해 돌아온 것에 마음이 놓여서 큰소리 한 번 친 것인지…….

어린 동생들이 측은하고 궁색한 살림을 꾸려 가는 새어머니가 안쓰러워 돌아오는 발걸음이 무거웠다.

"폴, 당신 아버지 화내실 때 너무 무서웠어요. 도대체 왜 그랬어요?"

대답을 할 수가 없었다.

우울해하는 다나를 달랠 겸 이튿날 일찍 관광을 나섰다. 대전에서 논산행 버스를 탔더니 이번에도 비포장 길이었다. 그새 익숙해진 다나는 오히려 재밌다는 표정이었다. 여관을 찾아갔다.

"방 없는데요."

"왜 방이 없지요?"

"침대 있는 방이 없다구요."

다나를 보고 침대가 필요할 거라고 생각한 모양이었다. 짐을 두고 은진 미륵불을 보러 갔다.

"부처가 저렇게 큰데도 정교하게 만들어졌네요."

오랜만에 좋아하는 다나의 모습을 보며 여관으로 돌아왔다.

"아주머니, 웬 침대지요?"

"아 예, 이장님 댁에서 빌려 왔어요."

자상한 마음씀이 너무 고마웠다. 저녁상에는 미리 귀띔한 대로 밥 위에 올려 찐 감자와 달걀부침이 다나를 위해 나왔다. 다나는 젓가락에 감자를 꽂아 들고 어린아이처럼 호호 불며 좋아했다.

피곤한 몸을 침대에 눕히고 막 잠이 들려는데 이게 웬일일까? 갑자기 온몸이 따갑고 가려워 그대로 있을 수가 없었다. 급히 불을 켜 보니 이장 댁 창고에서 가져온 침대 속에 있던 벼룩들이 미국 피맛을 보려고 총출동한 것이었다. 결국 바닥에 요를 폈다.

다음 날 광주를 거쳐 목포로 가서 부산으로 가는 통통배를 탔다.

남해의 맑은 물을 내려다보며 점점이 흩어진 그림 같은 섬들을 지나자 부산항이 가까워 왔다. 통통거리는 엔진 소리를 따라 내 가슴도 함께 뛰기 시작했다. 침 뱉으며 약속해 바라보던 항구를, 그리웠던 어머니 품에 안기듯 설레는 가슴으로 안아 들였다.

미국행 화물선을 탔던 국제항을 찾아갔다. 항구는 그대로인데 나는 너무나 달라져 있었다. 열등감에 유학생들을 피해 숨듯이 지냈던 배에서의 보름, 텅 빈 머리로 검정고시를 준비할 때 사전을 태운 재를 마시던 일, 공사판의 막노동, 인종 차별……. 지난 세월을 돌아보니 회한의 눈물이 흘렀다.

호텔로 돌아와 식당에 가니 양식이 그럴싸하게 나와 수프를 단숨에 먹자 곧 스테이크가 나왔다. 그런데 칼이 무디어 잘 썰어지지도 않고 질긴 고무 같아 씹어지지도 않아 결국 다나가 고깃덩어리를 떨어뜨리고 말았다. 웨이터가 보고 하나 더 갖다 주어 그나마 고마웠다.

부산에서 하루를 머물고 경주로 가 불국사를 둘러보는데 우리 조상들의 섬세함에 다나의 눈이 휘둥그레졌다. 다음 날은 새벽부터 서둘러 석굴암으로 가서 손을 잡고 떠오르는 아침 해를 맞았다. 오직 우리 두 사람을 위해 뜨는 태양인 것만 같았다.

서울로 돌아와 내내 궁금했던 운섭을 만나려고 경향신문사로 갔지만 운섭은 없었다. 행방을 알아보려고 명동성당으로 갔더니 강 신부님이 나를 알아보고 반가워했다. 돈 벌러 어디론가 떠났다는 운섭을 만나지 못한 채 서운한 발길을 돌렸다.

학생들을 인터뷰하던 중에 식사 초대를 받아 회를 먹은 것이 탈이 나서 다나와 나는 이틀 동안 꼼짝없이 호텔방에 누워 있어야 했다.

부랴부랴 위생 환경이 더 나은 일본으로 가서 이틀 동안 쉬자 약속이나 한 듯 나았다. 그러자 또다시 한국 음식이 그리워져 긴자 거리의 쇼쿠도인(식도원)이라는 한국 식당을 찾아가 불고기, 두부찌개, 김치를 시켜 잔뜩 먹었다. 다나가 매운 두부도 잘 먹자 식당 여주인이 다가오더니 "우리 집 한국 음식이 매운데도 잘 드셔 주셔서 너무 감사합니다" 하며 자신이 걸고 있던 금목걸이를 빼서 다나에게 걸어 주고 영어로 된 한국 요리 책까지 선물로 주었다. 나중에 책 내용을 보니 그 여주인은 이화여대 교수를 역임했던 요리 연구가 미세스 최였고 그 책도 본인이 쓴 것이었다.

하와이로 돌아온 후, 다나가 그 책을 보고 한국 음식을 만들어 유학생들을 초대했다. 한국 음식에 굶주렸던 학생들인지라 워낙 많은 양을 먹어 치워서 다나를 깜짝 놀라게 하기도 했다.

으쓱해진 다나가 한마디 했다.

"내가 만든 음식인데도 잘 먹네요. 호호. 그런데 어떻게 그렇게 많이 먹을 수 있죠? 호호."

자네, 한국 사람 아닌가

태평양 망망대해에 다나와 나를 실은 유람선이 떴다. 3년 전 처음 교수가 되었을 때의 그 흥분과 긴장, 사택 차고에 비원이라 쓴 간판을 달아 놓고 학생들과 김치며 밥을 나누어 먹던 추억, 작별 파티……. 그 모든 것들이 배가 떠나는 순간 과거의 일처럼 아득해졌다.

학생들과 친해지고 학교에서 인정받을수록 더 배워야 한다는 생각이 떠나지 않았기 때문에 안주하고픈 마음을 접고 보따리를 쌌다. 야자나무가 시야에서 사라지고 하와이 땅이 수평선 너머로 사라질 때까지 갑판에 서서 바라보며 다짐했다.

'박사모 쓰고 내 너를 다시 찾으리!'

1927년 첫 항해를 시작한 이 배는 하와이, 일본, 필리핀, 홍콩을 거쳐 샌프란시스코까지 가는 유람선이었다. 세계대전의 와중에도 쉬지 않고 운행한 배라고 선장의 자부심이 대단했다.

나는 배 안에서도 할 일을 찾아, 갈 때는 1등석에 탄 손님들에게 동양 여러 나라의 역사와 특징을 강의하였고, 각 나라를 거치며 태운 미국으로 유학 가는 학생들에게는 대학 입학에 필요한 오리엔테이션을 했다. 덕분에 다나와 나는 한 달 동안의 여행을 공짜로 할 수 있었다. 할 일 없고 놀 일만 있던 승객들에게 내 강의 시간은 기다려지는 시간이었다.

유학생들이 각종 행사 때마다 미국 국가를 잘 몰라 대충 얼버무리던 것이 생각났다. 마침 동승한 음악과 교수가 있어 교습을 부탁했다.

1시간도 안 돼서 학생들은 자신 있게 성조가를 부를 수 있었고 나는 무슨 대단한 일이라도 해낸 듯 뿌듯했다.

"자, 이제 미국 국가를 배웠으니 여러분 나라의 국가를 한번 들어 봅시다."

한국, 일본, 필리핀 학생들의 노래가 끝났는데 3백여 명의 학생 중에서 반이 넘는 중국 학생들은 딱한 표정으로 서로 눈치만 보고 있었다. 그제야 생각해 보니 중공은 공산주의 찬양가이고, 홍콩은 영국 국가이며, 대만은 삼민주의 국가이니 어느 쪽도 선뜻 나서지 못할 처지였다.

"어서 중국 국가를 들려 주시오!"

남의 아픈 속도 모르는 일부 승객들의 재촉에 앞에 있던 대만 학생들이 몇 명 나와 울먹이며 노래를 불렀다. 기분 좋게 시작한 그날의 모임은 중국 학생들의 통곡으로 막을 내렸다.

'나라 없는 자들은 부모 없는 자보다 더 불쌍하구나. 그런데 나

는 내 나라가 가난하고 불법의 나라라고 침을 뱉고 떠나지 않았는가!'

양심의 가책을 느꼈다.

'그래도 나는 마음놓고 애국가를 부를 수 있는 백성이구나…….'

배 안에는 언제고 음식과 음악이 있고, 갖가지 오락과 파티가 있지만 내내 바다에 떠 있던 사람들은 육지를 보면 너나없이 흥분과 설렘을 느낀다. 배 안에 갇혀 있는 사람들에게 육지는 자유와 희망의 상징이다.

샌프란시스코 항은 언제 보아도 감격스러웠다. 미국에 처음 왔던 때의 그 두려움과 설렘을 생각하며 숨가쁘게 달려온 10여 년의 세월을 돌이켜보았다. 왜건을 빌려 짐을 싣고 오리건 주 샤스타 산을 넘고 콜럼비아 강을 건너 워싱턴 주로 들어섰다.

산과 호수로 둘러싸여 있고 캐스케이드 산맥이 병풍처럼 둘러선 시애틀!

내가 미국 땅에 첫발을 디딘 바로 그 시애틀에 있는 워싱턴 주립대학을 찾아갔다. 동양을 제대로 배우겠다는 생각에 동양사 박사과정을 신청했더니 하버드를 비롯해 몇 대학에서 입학을 허락했다. 내심 하버드에 가고 싶었지만 학비가 주립대학에 비해 5배나 되었다. 게다가 다나가 복잡한 환경에서 직장 생활을 해야 하는 것이 걱정스러웠다. 생각 끝에 학비 부담이 없고 보수적이며 조용한 워싱턴 주립대학을 택했다.

다나가 학교에 자리를 얻고 나도 공부를 시작한 다음, 한국학 교수인 서두수 박사님을 찾아갔다.

"신군, 자네 한국말 좀 배워야겠네!"

단호한 어조였다.

국문학자 서두수 박사님은 연세대학교 교수와 성균관대학교 학장을 지냈고 하버드 대학에 한국학과를 세웠다. 미국 생활 17년에도 남의 집 문 앞에서 노크 대신 "이리 오너라!" 할 만큼 선비로서의 지조를 지킨 분이었다.

그 동안 한국말을 배우려고 애써 왔지만 공부에 체계가 없었다. 그나마 어릴 때 쓰던 말은 상스럽고 험한 말이어서 차라리 잊는 편이 더 나았기에 1주일에 두 번씩 찾아가 말을 배우기 시작했다. 잔디깎기와 심부름을 해 주는 것으로 고마운 마음을 대신했다. 자녀들도 멀리 있는데다 운전까지 못 해 다나와 나는 가족처럼 지내며 박사님을 도왔다.

한국말에 어느 정도 감이 잡혀 갈 무렵 내가 있는 대학에 교환교수로 온 사학자 고병익 박사님을 만났다.

"자네, 한국 사람 아닌가! 한국을 배우게!"

한국 고대사와 현대사를 배우며 비로소 한국을 알고 이해하려는 한국인이 되어 가고 있었다. 항상 냉철하고 자신감 있던 고병익 박사님은 한국으로 돌아가 서울 문리대 학장과 서울대 총장을 지냈다.

한국말을 어느 정도 하게 된 1972년이었다. 서 박사님은 "신군, 이제 한인 사회에 나가도 되겠네" 하며 한 사람씩 소개해 주었다. 그만큼 배웠으면 이제는 사회에 봉사하라는 뜻으로 받아들인 나는 그때부터 한인 사회에 발을 들여놓게 됐다. 천대받고 외면당했던 어린 시절 때문인지 동족에 대한 넘치는 그리움 때문인지 한인 사회에 나간다는 것은 두렵고 조심스러운 일이었다. 그러나 언젠가는 넘어야 할 산이고 건너야 할 강이었다.

1967년 처음 시애틀로 왔을 때는 한인이 겨우 1천 명 안팎이었는데 그새 7천 명으로 늘어났다. 이민 오는 사람 비행장에 마중 나가기, 아파트 얻어 주기, 아이들 입학 수속, 직장 알선……. 그것으로 끝나면 정말 다행이었다. 음주운전 단속에 걸리는 교포들이 많아 통역을 하러 재판소에 가는 일도 잦았다.

"폴, 또 왔군요!"

재판소 직원들도 낯이 익을 정도가 되어 나를 보면 친구처럼 반기곤 했다.

먼저 온 사람으로서 당연히 해야 할 일인데도 도움을 받은 한인들은 잊지 않고 내게 한국 음식을 대접하곤 했다. 난 '된장 찌개 잘 먹는 폴 신', '돼지 폴 신'으로 소문났고 내 몸무게와 한국말이 동시에 늘어 갔다.

내가 한인 사회에 점점 더 깊이 빠지게 되자 다나는 불안해했지만 말없이 참아 주었다. 명절이면 내켜하지 않는 아이들을 앞세워 온 가족이 한복을 차려 입고 어른들에게 세배를 다녔다.

서 박사님, 고 박사님, 시애틀 시의원인 마사 최의 부모님, 이창희 장로님 댁은 빠뜨리지 않았다. 한인 행사라면 언제 어디라도 말없이 참여하고 등진 이 없었던 이 장로님은 내가 가장 존경하는 분이었다.

동양인으로 차별받으면서도 미국인이 되고자 한국을 멀리하며 살았지만 미국인들에게는 영어 잘 하는 동양인으로, 한국인들에게는 한국말도 못 하는 바보로 취급받은 후 결국 '나는 누구인가' 하는 갈등 속에 빠지지 않았는가. 그러나 동족의 도움으로 한국을 찾게 되고 한국인으로 살아가게 되자 몸은 바쁘고 피곤해도 내 마음에 진정한 평화가 찾아왔다.

몇 년 전 보스턴에서 치러진 서 박사님의 장례식에 참석하고 돌아오는 비행기에서 생각에 잠겼다.

'정승의 개가 죽으면 초상객이 있고 정승이 죽으면 초상객이 없는 게 세상 인심이라는데 과연 내 장례식 때 먼 곳에서 날아와 울어줄 제자가 있을까?'

사랑은 피보다 진하다

나는 입양아다.

6·25 전쟁 이후 미군들이 남기고 간 혼혈아들을 펄 벅 여사가 재단을 만들어 미국으로 입양하기 시작해 지난 50년 동안 미국으로 14만, 유럽과 호주로 6만 명의 한국 어린이가 입양되어 갔다.

나는 16세가 되던 6·25 다음 해에 미군 군의관에게 입양되었으니 나야말로 제일 나이 많은 입양아다. 얼굴도 모르는 어머니와 정들 새 없었던 아버지뿐이었던 내게 양아버지의 출현으로 새로운 삶이 펼쳐졌다. 그러나 미국이라는 낯선 땅에서 양어머니와 동생들과의 만남은 또 다른 갈등과 고난의 시작이었다.

가정과 가족이 주는 유대감과 행복을 누리지 못하고 살아온 나는 가정을 이룬 후 그 무엇보다 아기를 기다렸다.

다나가 아기를 가졌을 때 자나깨나 생각했던 것이 '어떻게 하면 잘 기를 수 있을까? 고생과 슬픔으로 얼룩진 어린 시절을 보낸 내가 과연 자식을 행복하게 해 줄 수 있을까?' 하는 것이었다. 첫아기가 유산된 이후 4년을 하루같이 아기를 기다리던 우리 부부는 점점 지쳐 갔다. 아기를 키우고 싶어 병이 날 지경이던 다나가 먼저 제안했다.

"폴, 우리 아기를 입양하면 어떨까요?"

"조금만 더 기다려 봅시다."

자신의 핏줄에 집착하는 한국 남자여서가 아니었다. 입양했다가 만에 하나 아기를 낳게 되면 행여라도 차별하게 될까 봐 걱정스러웠기 때문이다. 그러나 곧 마음을 고쳐먹었다.

"내가 만일 입양되지 못했다면 지금 한국에서 뭘 하고 있겠소! 우리가 입양한다면 하나님도 기뻐할 것이오."

W.C.H.S.(Washington Children Home Society)와 상담한 후 우리 부부의 형편에 맞춰 혼혈아를 서너 명 입양하기로 했다. 여름 방학을 맞아 새로 이사한 집에 페인트칠을 해 놓고 여행을 가려고 서두르고 있는데 담당자에게서 전화가 왔다.

"미스터 신! 원하시던 아기를 찾았습니다. 두 살짜리 아들입니다."

페인트통과 붓을 그대로 던져 놓고 부랴부랴 아기가 있다는 대기 가정으로 찾아갔다. 눈이 크고 귀여운 사내아이였다. 살며시 들어 품에 안자 두려움과 호기심으로 더 커진 두 눈이 반짝였다. 왠지 다나의 눈을 닮은 것이 운명적인 나의 아들인 것만 같아 가슴이 찡했다. 양아버지에게 받은 폴이라는 이름을 아기에게 물려주었다. 보물이라도 찾은 듯 떨리고 벅찬 가슴으로 아기를 꼬옥 안고 새 보금자리로 돌아왔다. 조그마한 아기로 인해 이제까지의 모든 생활 패턴이 송두리째 흔들리고 말았다. 다나는 24시간 아이에게 매달렸고 나도 집에 오고 싶어 일이 손에 잡히지 않았다. 사람이 있는 듯 없는 듯 조용하기만 했던 집안이 아기의 울음소리로, 생기로 가득 찼다.

무엇보다 고마운 것은 그때까지도 화를 풀지 않았던 양어머니가 찾아온 일이었다. 고부간의 갈등은 서양이라고 예외가 아닌 듯, 한 번 싫다고 한 어머니는 마음을 열지 않았고 상처받은 다나도 굽히지 않았다. 그래서 명절 때면 나는 유타에서, 다나는 펜실베이니아에서 따로 떨어져 지내야 했는데 아기로 인해 화해와 웃음을 되찾은 것이다.

3개월 후 또 전화가 왔다.

"미스터 신, 이번에는 딸이, 지금 막 태어났습니다."

아기가 있다는 버지니아 메이슨 병원으로 가 보니 눈이 길고 코가 오똑한, 동양 쪽을 더 닮은 여자아이였다. 떨리는 가슴으로 쌕쌕거리는 리사를 품에 안자 생명의 온기가 전해져 왔다. 이젠 정말 집안이 가득 찼다.

번갈아 울고 함께 울고, 어른들은 서로 불러 대고 소리치고…….

온 집안에 빈틈없이 들어찬 아이들 물건이 바닥에까지 나뒹굴고 있어 엉덩이 붙일 자리는커녕 발 디딜 틈조차 없었다. 거기다 다나의 친정 식구들과 양부모님이 아기를 보러 몰려와 북새통이었다. 결국 다나는 아이들을 돌보기 위해 직장을 그만두었다.

음악을 좋아했던 나는 아이들이 피아니스트가 되기를 꿈꾸며 피아노를 2대나 들여놓고 가르쳤다. 부모 뜻대로 다 되는 법은 없다

입양아 아버지와 입양아 자녀들
피는 물보다 진하다. 그러나 사랑은 피보다 진하다. 나를 입양한
양부모님과 입양한 나의 아들 딸이 한자리에 모였다.
(왼쪽부터 필자, 아들 폴, 아내 다나, 장모, 양어머니, 딸 리사, 양아버지)

던가. 그 말이 맞았다. 바이올린에 플루트, 리사는 발레까지 가르쳐 봤지만 내 마음대로 되지는 않았다.

평소부터 한인 입양아들에게 관심을 갖고 있던 나는 동양학 수업을 듣는 학생인, 한국 아이를 입양한 샌디 멜과 함께 KIDS(Korean Identity Development Society)를 조직했다. 처음에는 10여 명으로 시작한 것이 점차 호응을 얻어 5백 명으로 늘었다. 우리는 내가 있던 학교의 회의장이나 극장을 빌려 매년 세미나를 열었다. 또 구정 잔치를 벌여 한국 풍습을 체험할 수 있는 기회를 제공했다. 여름에는 한국 문화 캠프를 열어 한글, 무용, 태권도, 서예, 요리 등을 가르치기 시작했다.

모든 일이 시작보다는 지속하기가 어렵듯이 우리도 많은 어려움을 겪었다. 교민이나 유학생으로 구성된 자원 봉사자들의 말없는 지각, 이유 없는 결석 같은 책임감 없는 태도 때문에 나중에는 미국 부모들이 직접 나서서 가르치기도 했다. 그러나 10년을 한결같이 봉사하는 사람도 있어 그들 덕분에 지금까지 꾸려 가고 있다.

세미나 중에 있었던 일이다.

"너희들도 한국인인데 이제는 한국 이름도 찾고 한국을 배워 한국인으로 살아야 한다"라는 한인 학생들과, "우리가 어떻게 미국 부모를 배반하겠소! 우리는 첫째가 미국인이고 둘째가 한국인이오!"라는 입양 학생들의 논쟁이 있었다. 결국 토론은 합의점을 찾지 못하고 끝났다. 이것이 바로 자신의 정체성을 찾기 위해 몸부림쳐야 하는 입양아들의 현주소다.

입양아뿐만 아니라 한인 2세들도 미국인으로 살아가려고 애써 보지만 영어를 아무리 잘 해도 "넌 언제 미국에 왔느냐?", "너 영어 잘 한다", "너 한국말 할 줄 아느냐?" 하는 물음에서 벗어날 수가 없다. 결국 '나는 누구인가?'라는 고민에 빠지지 않을 수 없는 것이다.

나는 KIDS뿐 아니라 세계적인 입양 기관인 WACAP, HOLT 입양아와 교포 2세로 구성된 샛별 무용단의 일을 맡았다. 여러 가지 가슴아픈, 그리고 보람 있는 경험을 했다. 나는 한국을 다녀올 때마다 홀트에서 미국으로 보내는 입양아들을 데려오는 보모 노릇을 자청했는데 어느 여행길에 공항에서 만난 나의 파트너는 곰 인형을 품에 안은 세 살짜리 사내아이였다. 내가 할아버지처럼 푸근해 보였는지 금방 안겼다. 여행 중에도 전혀 울지도 보채지도 않았다. 내가 먹으면 자기도 먹고, 책을 보면 자기도 책 보는 시늉을 하고 내가 자면 자기도 자는 척했다. 방긋방긋 웃으며 재롱을 부리던 아이가 공항에 나온 양부모를 보고는 질겁을 하며 울음을 터뜨렸다. 그들의 낯선 모습에 놀라 내게 매달려 떨어지지 않으려고 기를 쓰고 울었다. 마음 같아서는 내가 키우겠다고 말하고 싶었지만 이미 갈 길이 따로 있었다. 허전하고 쓰린 가슴으로 돌아올 수밖에 없었다.

시애틀 동쪽의 벨뷰라는 동네에 사는 부부가 전화를 걸어왔다.

"닥터 신, 우리를 도와 줄 수 있겠소?"

열다섯 살 된 한국 소년을 입양했는데 아무리 잘 해 줘도 겉돌기만 한다는 것이었다. 한 살 때 생모가 고아원에 맡긴 후 늦은 나이에 입양됐단다. 내가 겪었던 고통을 생각하며 농구 선수인 그를 3개월 동안 1주일에 세 번씩 찾아갔다. 농구장에서 응원하다 돌아오곤 하던 어느 날 점심을 함께 하게 됐다.

"피터야! 나도 네 나이에 입양 와서 어려움이 많았는데 너는 어때?"

고개를 푹 숙이더니 닭똥 같은 눈물을 떨어뜨렸다.

"나를 입양했으면서 왜 자식 대접을 안 해 줍니까?"

"도대체 어떻게 안 해 준다는 거지?"

"저는 진심으로 가족을 그리워했고 자식이 되고 싶었습니다. 그런데 그 집 아이들은 겨우 일곱 살과 네 살밖에 안 됐는데도 일을 시키고 말을 안 들으면 때리면서 나한테는 손님처럼 대접만 하는데 어떻게 내가 그 집 자식입니까?"

뜻밖의 말을 듣고 그의 양부모에게 피터의 마음을 얘기해 주었다. 그리고 얼마 후 농구장으로 갔더니 그가 웃으며 뛰어왔다.

"닥터 신! 무슨 일이 있었는지 아세요? 어제 우리 아버지가 나를 때렸어요. 내가 아버지한테 맞았다니까요. 하하하!"

딸 리사가 학교에서 울면서 돌아왔다.

"애들이 내가 새우눈이라고 놀려요. 학교 가기 싫어요!"

혼혈아의 아픔을 겪고 있는 리사였다.

"리사야! 너의 매력은 그 새우눈이란다. 동양과 서양의 아름다움이 바로 네 얼굴에 조화돼 있다니까!"

이어 한국뿐 아니라 일본, 중국, 홍콩, 유럽 여러 나라를 아이들과 여행하며 동서양이 함께 만나는 우리 가정에 대해 자부심을 갖게 하도록 애썼다.

"너희들 친부모님을 만나고 싶으면 찾게 해 줄게."

"아니에요. 나를 키워 주시는 부모님이 내 부모님이에요."

아이들이 중학생이 됐을 때의 일이었다.

그러나 보람을 느끼기까지는 고난이 있었고 인내가 필요했다. 싸움이 필요없는 다나와 나도 아이들 문제로 부딪칠 일이 생겼다. 리사는 피아노가 싫어 집에 오기 싫어 하고, 폴은 공부가 싫어 친구 집으로 도망가기 일쑤였다.

입양 가정 중에는 부부가 아이 문제로 다투다 이혼하기도 하고, 어른들 문제로 이혼하기도 한다. 워싱턴 주의 한 여학생은 부모가 이혼하자 "나는 도대체 누구입니까?"라는 유서를 써 놓고 자살했다.

가끔 교도소에 강연을 갔다가 한국 입양아들을 만나면 속이 상해 맥이 풀려 버렸다. 그러나 다시 생각해 보면 열에 아홉은 입양 온 것이 그들에게 잘 된 일이니 어쩔 도리가 없었다.

한동안 한국에서는 고아들을 외국으로 내보내는 것은 국가의 위신 문제라며 고아 문제를 국내에서 해결해 보려고 했다. 그러나 자기 핏줄에 집착하는 한국의 보수성 때문에 더 문제가 되어 결국 다시 외국으로 보내고 있다고 한다.

시집 간 리사가 척추 디스크로 고생하는 바람에 다나는 3명의 손주들을 돌보느라 꼼짝도 못 하고 있다. 동양 의학을 믿지 않는 리사를 업고 침을 맞으러 한의사를 찾아가며 기도했다.

'하나님! 리사는 나의 소망이며 분신입니다. 리사의 고통을 차라리 제게 주십시오.'

한국 경제의 악화로 재정난을 겪고 있는 홀트에 이곳에서 모금한 돈을 갖다 주자 온 직원이 눈물을 흘리며 고마워했다.

그들도 알고 있을까?

'피는 물보다 진하다. 그러나 사랑은 피보다 진하다'는 것을…….

모래로 콘크리트 성을 쌓았더라면

흔히 중국 사람을 먼지에 비유하고 일본 사람을 진흙에, 한국 사람을 모래에 비유한다. 하나하나를 보면 모래는 크고 단단하며 아름답기까지 하다. 그러나 아무리 멋져 보여도 그것이 모래성이라면 풍파를 견디지 못하고 흔적도 없이 사라져 버리고 만다.

소박한 마음에서 시작한 내 일들이 점점 알려져 1974년 구범희 씨가 회장인 한인회에서 나를 섭외부장으로 뽑았다. 학위 공부에, 직장에, 장모와 아이들까지 있는 집안일에 정신을 못 차릴 지경이라 줄일 수 있는 것은 한인회 일뿐이었지만 우리 동족을 위해 일하면서 느끼는 보람과 희열에 오히려 힘을 얻곤 했다.

연말이 되어 예년과 같은 방식으로 차기 회장을 뽑자 일부에서 반대하고 나섰다.

"왜 회장을 당신들끼리 돌아가며 해먹는 거요? 정식으로 투표해서 뽑읍시다."

친목단체인 한인회는 복잡한 선거 대신 누군가의 추천으로 회장을 뽑는 가족 같은 분위기였다. 구세력을 꺾으려는 신세력이 이웃 도시에서 버스로 유권자 아닌 유권자들을 실어다 놓고 선거에 임할 태세를 갖추고 기다리고 있었다. 대책 없이 선거를 했다가는 이미 내정한 회장이 떨어질 것을 예상한 구세력은 선거 날짜를 밀어 버렸다. 양측이 팽팽히 맞서자 한인 사회가 두 패로 갈리고 말았다.

서로 밀고 밀리다가 마지막 날 서로 한 발씩 물러나 경선을 피하는 대신 제3의 인물을 뽑자고 의견을 모으더니 급기야 나를 회장으로 뽑아 놓았다. 졸지에 회장이 된 나는 아직 한국말이 서툴러 당혹스러웠다. 그러나 화합을 이루기 위해 나를 세웠으니 겸손하게 받아들이는 것이 나의 의무인 것 같아 최선을 다하리라 마음먹었다.

회장이 된 나는 먼저 친목단체인 한인회를 봉사단체로 바꾸고 싶었다. 또 이제껏 우리끼리 어울리는데 그쳤던 각종 행사들을 새롭게 기획해야 했다. 나는 미국 주류 사회로 파고들자고 주장했다. 문화 교류를 통해 인종을 초월할 수 있기를 바랐기 때문이다. 오계희, 곽종세, 조요한, 조영, Haesik, Smith, 김창성, 장진섭, 황수철 등의 임원들이 아이디어를 내고 결정된 사항을 추진하느라 열심히 뛰었다. 다나도 하와이에서 익혀 둔 한국 요리 솜씨를 발휘했다.

유학생과 이제 막 이민 온 사람들의 서류 정리, 통역, 아이들 입학 문제, 어려움에 처한 사람들 돕기 등의 봉사활동을 펼쳤다. 그리고 이민 1세를 위한 영어교실과 2세와 입양아들을 위한 한글교실을 열었다. 몸은 비록 만리 타국에 있지만 마음만은 조국과 함께하고자 3·1절, 광복절, 개천절 행사를 벌였다. 또 회관 건물 구입 자금을 마련하기 위해 수익사업을 하느라 차이나타운에서 열리는 중국인 행사에 참여해 불고기도 팔고, 할로윈 데이에는 길거리에서 호박도 팔았다.

또 사회 참여를 목표로 한인의 날을 정해 각계 인사들과 한국 아이들을 입양한 부모들, 6·25 참전 군인들을 초청했다.

"우리 한인들을 이 좋은 땅에 이민 올 수 있도록 받아 주시고 또 직장을 주셔서 성실히 살 수 있게 해 주시니 감사합니다. 우리 자녀들을 교육시켜 주시니 잘 자라서 한인 미국인으로서 이 사회에 봉사할 인물들이 될 것입니다. 특히 우리 고아들을 입양하신 부모님과 한국전 때 피 흘려 주신 용사들께 이 자리를 빌려 감사드립니다. 이제 미국이라는 한울타리 안에서 서로 이웃해 살고 있으니 인종을 초월하여 교제하고 연합하는 친구가 됩시다."

8년 후, 한인회장 선거를 앞둔 어느 날 시내의 식당으로 급히 나오라는 연락을 받았다. 영문도 모르고 갔더니 이창희 장로님과 서두수 박사님을 비롯해 40여 명이나 되는 사람이 모두 심각한 얼굴로 앉아 있었다.

"신 박사! 한인회와 영사관이 정치적 문제로 대립해 위험한 상황이니 한인회장에 한 번 더 나가 주시오!"

"아니 이미 1975년에 회장을 했는데 그게 무슨 말씀입니까?"

"저쪽을 상대해서 이길 수 있는 사람은 오직 신 박사뿐이오."

"만일 끝까지 사양하시면 내년에는 한인회와 영사관이 싸우느라 정신없을 겁니다. 그렇게 되면 우리 교민들이 어려움을 겪게 될 것은 뻔하지 않습니까?"

전두환 대통령 정권에 반대하는 사람들이 정부에서 파견한 총영사를 거부하고 귀환시키려고 하는 등 강경한 입장을 보이고 있었다. 그들은 전 한인회장을 다시 출마시켰고 많은 한인들이 동조하고 있었다.

새벽 3시까지 사양하며 버텼지만 고래 싸움에 새우 등 터질 애꿎은 교민들을 위해서는 내가 꺾여야 했다.

살벌한 분위기에서 선거가 치러졌고 겨우 28표 앞선 이쪽이 이겼다. 영사관과 온건파측에서는 안도의 숨을 내쉬었지만 어려운 자리에 서게 된 나는 무거운 짐에 어깨가 축 처졌다.

'본국 정치가 불안하고 불신 풍조가 난무한데 저 많은 반대자들을 어떻게 끌어들이나?'

걱정했던 대로 선거 결과를 두고 법정 소송까지 걸리고 말았다. 내 뜻과는 상관없이 무조건 적이 되어 버린 교포들을 생각하면 마음이 아팠다. 그래도 일은 해야 했다.

그 사이 몇 배나 늘어난 교민들을 위해 한글교실을 한국 학교로 확대했다. 그리고 워싱턴 주 최대의 문화 행사인 시페어(Sea fair) 퍼레이드에 한인들도 참여할 수 있게 했다.

35만의 인파가 몰려들고 TV 시청자만도 3백만이 넘는 행사였다. 한국의 문화를 널리 알릴 수 있는 절호의 기회를 만난 것이다. 한인 학생들에게 농악을 가르치고 LA에 있는 농악대를 초청해 처음으로 행진에 참가했다. 꽹과리 치고 징 치고 상모 돌리며 행진하는 모습을 보니 동양의 작은 나라, 내 조국 대한민국에 대한 자부심으로 가슴이 뜨거워졌다.

이듬해에는 임원으로 새 회장을 도왔고 한글학교 이사장 10년,

평통협회장 2회에다 무슨 이사, 무슨 고문 등으로 여기저기 이름이 내걸렸다. 나 개인에게는 보람 있는 시간이었지만 한편에서는 오해와 비방이 그치지 않았다. 감투 좋아하는 사람, 약방의 감초라며 조롱했다. 국제 결혼했습네, 입양아 출신이네 하며 헐뜯고 따돌렸다. 각오했던 일이지만 다 그만두고픈 심정이었다.

일하겠다고 나선 사람이 섬기고자 하는 자세는커녕 오히려 대접받으려 하거나 이용하려 들 때, 이도 저도 않고 자리나 지키는 경우에는 몹시 답답하다. 조국의 평화 통일을 염원하여 구성된 위원들이 정부 돈으로 초대받아 가서 행사에는 관심도 없고 기생집에 가서 술 마시고 추태를 부리니 교민들이 과연 일하겠다고 나선 사람들을 믿어 줄까?

자리를 탐내 미워하여 밀어 내고 밀려나니 한인 사회는 모래성이 될 수밖에 없었다. 일 맡아 열심히 뛰던 인재들이 상처받고 떠나버리는 안타까운 일도 많았다. 참고 견뎠다면, 헐뜯고 끌어내리지 않았다면, 이해하고 북돋워 주었다면 모래성이 아니라 토성을 쌓았을 것을……. 겸손과 온유를 시멘트삼아 콘크리트 성을 쌓았더라면 불이라도 견뎠을 것을…….

사업가 교수

박사 과정 공부가 끝나자 애초 계획했던 대로 하와이 대학으로 돌아가려고 살고 있던 집을 팔았다. 그런데 한창 자라는 아이들을 데리고, 낙천주의가 지나쳐 향락의 물결이 넘실대고 긴장도 도전도 없는 하와이로 가자니 망설여졌다.

중요한 결단을 내려야 하는 순간이기에 다나와 함께 금식기도를 한 후 시애틀에 남기로 결정했다. 이미 집이 팔렸으니 새 집을 구해야 하는데 다나의 눈이 높아져 판 집보다 훨씬 비싼 집을 마음에 들어했다. 결국 함께 사는 장모의 돈까지 빌려서 그때 산 그 집에서 지금까지 30년이 넘게 살고 있다.

나는 워싱턴 주립대학의 조교수로 있으면서 공부에만 전념하고 싶었지만 식구는 늘고 다나마저 직장을 그만두었으니 내가 2배, 3배 일해야 했다. 그 결과 나는 시애틀 근교인 쇼라인 대학에서 동양사를 가르치고 야간 수업까지 맡게 되었다.

한편 매달 한국으로 보낸 돈이 동생들 학비나 생활비로 쓰이지 않고 아버지의 술값으로 쓰인다는 것을 알고 동생들을 미국으로 데려오기로 결심했다. 그러나 교수 월급으로는 이 모든 일을 다 감당할 수가 없었다.

'무슨 일을 해야 돈을 벌 수 있을까?'

'다섯이나 되는 동생들을 데려다 제대로 살게 하려면 도대체 얼마나 벌어야 하나?'

여느 때처럼 강의를 끝내고 상가들이 즐비한 오로라 국도를 지나는데 '부동산 중개인 구함. 초보자는 훈련시켜 줌'이라는 간판이 눈에 들어왔다. 그때 차를 세우고 들어간 것이 계기가 되어 3개월 후 중개인 면허를 땄다. 강의가 끝나면 부동산 사무실에 나와 앉아 책을 들여다보며 전화를 기다렸다.

한인들이 별로 없던 때였고 그나마 유학생이나 초기 이민자들이 대부분이었다. 그들은 집을 살 형편이 아니어서 주로 백인이나 중국, 일본 사람을 상대해야 했다. 손님을 데리고 집구경을 다니고 온갖 서류를 정리하는 데 든 시간을 다 계산해 보니 수지가 맞지 않아 다시 고민에 빠졌다.

1973년에 비행기 제조사인 보잉사가 대량의 실업자를 냈다. 워싱턴 주 전체가 불황에 빠져 집세를 못 낸 사람들은 결국 집을 버리고 직장을 찾아 다른 곳으로 떠나 버렸다. 여기저기 빈 집들이 늘고 제대로 관리를 못 해 망가져 가고 있었다. 나는 그런 허름한 집을 싼값에 사서 저녁마다 달려가 고치기 시작했다. 페인트칠, 목수 일, 정원 가꾸기까지 혼자서 다 해냈다. 새로 단장한 집을 되팔아서 이익을 남기기는 했지만 내 손은 학자의 고운 손이 아니라 영락없이 공사판 인부의 손이었다.

그 무렵 정부가 저소득자들을 위한 주택 마련 프로그램을 추진했다. 곳곳에 널린 빈 집들은 경매값으로 팔았을 뿐 아니라 30년 상환에 계약금도 없는 조건이었다. 이민 온 지 얼마 안 되는 한인들이나 유학생들에게는 좋은 기회였다. 수수료는 겨우 2퍼센트밖에 안 됐지만 유일한 한인 중개인으로서 보람을 느꼈다.

주택을 고쳐 팔던 나는 손이 덜 가는 아파트를 사서 고쳤다. 1동으로 시작해 되팔아 2동으로 늘렸고, 다시 팔아 4동이 되었다. 그 사이에 보잉사의 일이 다시 많아져 노동자들이 몰려들고 워싱턴 주가 호황을 맞았다. 아파트가 꽉 차기 시작했다.

나는 아파트를 처분해 시골에 모빌 홈 파크를 만들었다. 부동산 중개인에서 건축 투자가로 조금씩 사업을 키워 갔다. 처음 일을 시작하면서 마음먹었던 대로 한국의 동생들을 불러오고 빌린 돈을 갚고 가족들과 세계 여러 나라를 여행하는 여유도 누렸다.

그러나 1983년에 다시 한인회장이 되면서 부동산 중개인이라는 부업을 버렸다. 한인회장이라는 이름을 팔아 돈을 번다는 소리를 듣고 싶지 않았고, 다른 한인 중개인들과 경쟁하고 싶지도 않았다. 그리고 무엇보다 박사 논문을 하루빨리 끝내고 싶었다.

"미스터 신, 당신을 우리 회사의 동업자로 초청합니다."

한인회장의 임기가 끝난 이듬해 콜드웰 뱅커라는 미국에서 제일 큰 상업부동산 회사가 엄청난 제안을 해 왔다. 미국 전역에서 상가 건물부터 대규모 기업체까지 사고 파는 저들의 엄청난 수입을 분배

하는 동업자가 되어 달라는 것이었다. 늘어나는 동양인을 겨냥하고 나를 끌어들이려는 속셈이었다.

"교수 생활을 계속할 수 있습니까?"

"안 됩니다. 풀 타임으로 들어오셔야 합니다."

만일 어릴 적 내 꿈이 부자가 되는 것이었다면 그 제안을 받아들여 지금쯤은 백만장자가 되어 있겠지만 내 꿈은 선생님이었다. 눈 딱 감고 거절했다.

얼마 후 이번에는 은행에서 제안이 들어왔다.

"미스터 신, 집을 지으실 생각이 있다면 우리가 돈을 빌려 드리겠습니다."

그 동안의 신용을 담보로 돈을 대주겠다는 것이었다. 점차 내 사업 능력이 소문나면서 동업을 하자는 제안이 줄을 이었다. 켄모어에 모텔을 지어 본 경험을 살려 설계와 총진행까지 직접 맡아 가며 엘렌스버그 고속도로변에 모텔을 지었다.

전에 팔아 버린 아파트 값이 크게 올라 아까워하기도 했고 너무 먼 곳에 모빌 홈 파크를 지어 골치를 썩이기도, 잘못 판단해 손해를 보기도 했다. 한국에 선교부장으로 나가며 웬만한 재산을 정리해 한인 증권업자에게 맡겼다가 3년 후 돌아와 보니 휴지조각으로 만들어 놓아서 경제적으로 쪼들리기도 했다. 그러나 이제 지나고 보니 여러 사람에게 좋은 일이었다.

친척들에게는 투자의 길을 열어 주고, 직장이 없는 사람에게는 직장을 주고, 은행도 이익을 남기고 대규모 공사로 지역 경제도 살린 셈이었다. 또 내 개인 재산이 없었다면 선거에 나갈 엄두도 못 냈을 것이고 거듭되는 실패 또한 감당할 수 없었을 것이다.

그 무렵, 나에게 가장 보람된 일이 생겼다. 양어머니의 전화로 시작된 일이었다.

"폴! 아버지가 경제적인 문제가 있는 것 같은데 말씀을 안 하시는구나."

3일 동안 유타의 집에 머물면서 결국 아버지의 문제를 알아 냈다. 유타 대학 교수였던 아버지의 제자가 전재산을 들여 소형 컴퓨터를 만들었는데 특허를 얻기 위해서는 1대를 더 만들어야 했다. 컴퓨터라고는 대형 컴퓨터뿐이던 시절이라 소형 컴퓨터는 획기적인 개발품이었다. 시장성이 있다고 판단한 아버지는 당시로서는 큰 액수인 35만 달러를 은행에서 빌렸다. 공장이 거의 완공되어 가는데 IBM이 개인용 컴퓨터를 만들어 먼저 특허를 땄다. 하루아침에 공장은 문을 닫아야 했고 빚더미에 올라앉았다. 원금은커녕 겨우 이자를 갚기 위해 64세인 아버지는 주말도 없이 일해야 했다. 게다가 자신이 죽으면 그 짐을 어머니가 떠맡게 되는 것이 고민스러워 몰골이 말이 아니었다.

이제야말로 내가 할 일이 생긴 것 같았다. 나는 한 달에 두 번씩 유타로 가서 현장을 답사했다. 하나님께 지혜를 구하며 시외를 지나던 길에 썩 괜찮은 땅이 눈에 들어왔다. 주인을 찾아가니 가격만 맞으면 팔겠다는 것이다.

연로한 부모님을 생각하니 양로원을 짓는 것이 좋을 것 같았다. 마침 공공 이익을 위한 사업에는 정부가 싼 이자로 돈을 빌려 주고 있었다. 또 휴먼 서비스국에서도 사업 계획안을 보고 선뜻 허가를 내주었다. 3천 평의 땅에 1백20동의 양로원 설립비 3백70만 달러를 융자받으려면 관리와 운영을 보장할 수 있는 공동 재정보증이 필요했다. 백방으로 수소문해 미국에서 두 번째로 큰 타코마의 양로원 관리회사에 운영을 맡기고, 팔 경우에는 이 협회에 우선권을 주는 조건으로 모든 일이 해결되었다.

1986년 5월, 2년 만에 양로원이 완공되어 아버지의 빚을 모두 갚고 양로원은 부모님 이름으로 등기를 마쳤다. 입주식이 있던 날, 현지 시장 등 많은 사람이 모인 준공식에서 아버지는 눈물지으며 이렇게 답사를 했다.

"아내의 반대에도 불구하고 내가 폴을 미국으로 데리고 온 것은 그가 불쌍해 도와 주려는 것이었습니다. 이렇게 성공해서 우리에게 기쁨과 행복을 줄 줄은 몰랐습니다."

이어 내 손을 잡고 말을 이으셨다.

"내가 처음 이 손을 잡았을 때는 추위와 고생으로 쩍쩍 갈라져 있었는데……. 공부도 제대로 못 했기에 네가 이토록 큰일을 해내리라고는 더더욱 생각지 못했다. 너는 내게 가장 많은 기쁨을 준 아들이며 가장 자랑스러운 아들이다."

지금도 양로원을 찾아가면 아버지의 흉상이 나를 반기고 그 앞에 선 나는 돌아가신 아버지가 그리워 눈물짓는다.

어느 날 문득 돌아보니 이제까지 나는 황소처럼 일만 했지 나 자신을 위해서는 한 것이 별로 없었다. 친척이나 친구들의 끊임없는 부탁, 도와 줘도 받는 사람은 고마운 줄도 모르고 오히려 섭섭해하지나 않으면 그나마 다행이었다. 속이 상하던 차에 하루는 벤츠를 사서 타고 집으로 왔다. 금방 후회한 것은 물론이고 부끄러워 타고 나가지도 못해 집 앞에 세워 놓았더니 다나가 타고 다녔다. 나는 또 매달 월부금 붓는 고생만 자청하고 말았다.

'돈은 버는 것보다 쓰는 것이 더 중요하다'거나 '개처럼 벌어서 정승처럼 쓴다'는 말이 있다. 나에게는 돈을 쓰는 데 순서가 있다. 아무리 작은 수입이라도 십일조와 저축을 뗀 나머지가 써도 되는 돈이다. 나는 신앙인이라 술, 담배는 물론 안 하고 헐벗고 굶주렸던 때를 생각해 입을 옷을 두고 새 옷을 사고 싶지도 않다. 또 한끼를 때우는 데는 햄버거나 핫도그만으로도 감사하다. 때때로 깍쟁이, 구두쇠 소리를 듣기도 하지만 허례허식이나 낭비는 싫다.

이제 부자는 아니지만 어려운 이웃을 돕고 교육이나 문화사업, 특히 입양아들을 위한 기관에 적게라도 꾸준히 헌금할 수 있으며, 노후에는 정부나 자식들의 짐이 되지 않고 살 수 있으니 다행이다.

지금도 그때의 그 '부동산 중개인 구함'이라는 간판이 눈에 선하다. 바로 하나님이 내게 주었던 기회, 흘린 땀방울만큼 거둘 수 있는 기회의 사인이다.

동생님, 어서 오십시오

동생들을 미국으로 데려오기 위해 부동산 중개인 노릇을 시작한 지 몇 년 후인 1975년 1월, 드디어 첫째 동생 길범이가 미국 땅을 밟았다. 겨우 몇 번, 그것도 잠깐씩 본 것이 전부라 길범이를 찾지 못하고 서성이는데 그가 먼저 나를 알아보고 다가왔다.

"댁이 신길범 씨입니까?"

내 물음에 그는 몹시 얼떨떨한 표정을 지었다.

"네? ……네!"

"미국에 잘 오셨습니다."

이젠 정말 어리둥절하다 못해 당혹스러워했다. 나는 그저 낯선 곳이라 그러려니 하며 내 차로 데려갔다.

"뭘 하고 싶으세요? 학교에 들어갈 건지 아니면 사업을 하고 싶으세요?"

"아직 영어도 못 하니까 학교부터 가고 싶습니다."

"그럼 그렇게 하시지요."

시애틀 센트럴 대학의 어학반에 등록한 후 한 달 동안 우리 집에서 다니다가 학교 근처의 아파트로 이사를 했다. 주중에는 내가 짬을 내어 잠깐씩 들러 보았고, 주말이면 집으로 데려와 함께 지내다가 일요일 저녁에 다시 그의 아파트로 데려다 주었다. 그러던 어느 날 술에 취한 길범이가 나를 찾아왔다.

"형! 할 말이 있습니다."

"뭡니까?"

"나는 형만 믿고 이 먼 나라까지 왔습니다. 그런데 형은 왜 남처럼 존대말을 쓰며 거리를 두십니까?"

"그럼 안 되나요?"

오히려 되묻는 나를, 길범이는 울다 말고 기가 막혀 쳐다봤다.

서두수 박사에게 한국말을 배우긴 했지만 동생에게 반말을 쓴다는 것은 몰랐다. 오해가 풀린 길범이는 웃으며 돌아갔고 우리는 더 친밀한 사이가 됐다. 사업을 해 보고 싶어하는 그에게 시애틀 시내의 식품점을 하나 사서 맡겼다. 다나와 나는 1주일에 두 번씩 도매상에서 물건을 떼서 실어다 주었다.

갑자기 반말을 쓰자니 무슨 말을 해야 할지 몰라, 매일 밤 통화할 때마다 똑같은 말만 되풀이했다.

"난데…… 오늘 사업 어땠어?"

"괜찮았어요."

"저녁 먹었어?"

"네!"

"그럼 자지 그래."

어느 날 길범이가 물었다.

"형! 도대체 언제까지 그 말만 할 거예요?"

평생을 술로 산 아버지 탓에 동생들 공부는 물론이고 그 많은 식구들이 단칸 셋방을 못 면한 것에 화가 쌓였던 나는 처음부터 길범이에게 다짐해 두었다.

"절대로 술을 안 마신다는 조건으로 이 가게를 네게 준다. 만약 술을 마신다면 그 날로 끝이다."

단단히 일러 두었건만 어느 날 밤늦게 가게에 들렀더니 놀랍게도 술판이 벌어져 있었다. 길범이는 당황해 어쩔 줄 모르고, 화가 머리끝까지 난 나는 그 자리에서 돌아서 나왔다. 놀란 친구들이 달려와 "우리 잘못입니다. 한 번만 용서해 주세요" 하며 붙잡고 매달렸다.

"그래? 한 번만 더 기회를 주지! 다음에 또 이러면 그때는 아버지 곁으로 돌아가 술이나 실컷 마시며 살아라."

마음 착하고 유머 넘치는 길범을 친구들이 가만 놔 두지 않았다. 몇 달이 지나지 않아 야밤에 찾아간 내게 다시 들키고 말았다. 이번에는 길범이가 "이제는 형이 가라고 하면 한국으로 돌아가겠습니다"하며 울었다. 쓰린 가슴으로 돌아올 수밖에 없었다.

어느 날 대낮에 가게에 갔더니 난데없이 한국 사람들이 여럿 몰려들어 호령을 하고 있었다.

"너 이 자식, 다시는 우리 집에 전화하지 마!"

내가 들어서니 길범이는 안색이 노랗게 질려 있었다.

"무슨 일이십니까? 제 동생이 뭘 잘못했나요?"

"아, 이 녀석이 우리 집을 뭘로 보고 오밤중에 전화해서 며늘아기한테 이넌 저넌 욕을 했다기에 내 분해서 찾아왔수다."

"동생 얘기를 들어 보고 나중에 사과드리겠습니다."

겨우 달래서 모두 돌려 보낸 후 길범이를 앉혀 놓고 얘기를 들었다.

"친구들이 다 모였는데 그 친구가 안 와서……. 다른 친구들이 자꾸 전화하라고 해서 했는데 잔다고 안 바꿔 주기에…… 술김에 한마디 한다는 것이 그만……."

아들과 친구 모두를 혼내 주고자 식구들이 떼지어 길범이를 찾아와 야단친 것이다.

며칠 후 길범이를 앞세워 꽃을 사 들고 그 집을 찾아갔다.

"어른께서 저를 봐서라도 노여움을 푸시고 제 동생을 용서해 주십시오."

엎드려 용서를 빌자 오히려 고마워하며 내 손을 잡아 일으켰다. 아직 어린 새댁인 며느리에게까지 엎드려 용서를 빌자 모두들 민망해하고 길범이는 몸둘 바를 모르고 쩔쩔맸다.

그날 이후 길범이는 다시는 술을 가까이하지 않았고 현숙한 아내를 만나 아들 딸 낳고 잘 살고 있다. 큰동생답게 나를 가장 많이 이해하고 형제간에 문제가 있으면 나서서 중재 역할도 잘 한다. 또 한인 교회에서 집사가 되어 봉사도 잘 하는데 그의 주변에는 여전히 친구들이 끊이지 않는다.

다시 2년 후인 1977년, 셋째 동생인 인범이와 막내인 찬순이가 시택 공항에 내렸다. 아버지를 닮아 의리 있고 기운이 장사인 인범이는 나를 어려워했던 길범이와는 달리 붙임성이 있는 편이라 함께 영화 구경도 다니고 얘기도 잘 했다. 성실히 일해 부모님께 생활비도 보내고 형제들의 짐을 덜어 주기도 했다. 찬순이는 중학교 1학년 때부터 내가 데리고 살았기 때문에 동생이라기보다는 딸 같았다. 워싱턴 주립대학에서 미술을 전공하고 내가 중매한 전주 청년과 결혼해 얌전한 주부가 되었다. 입양아들을 위한 한국 문화 캠프 때는 한글도 가르치고 내 선거 때는 언제나 팔을 걷어붙이고 돕는 적극성도 보여 주었다.

성격이 온순해 아버지가 가장 편해했던 넷째 동생 욱범이는 아버지 곁에 있으라고 부르지 않았다가 1980년에 이곳으로 데려왔다. 이미 결혼을 한 다음이라 함께 살아 보지는 못했지만 선거 때마다 뒤에서 묵묵히 돕는 속 깊은 동생이다. 아버지와 새어머니까지 미국으로 온 다음 해인 1990년에는 둘째 동생인 봉범이 내외가 들어와 우리 6형제가 모두 이곳 워싱턴 주에 모여 살게 되었다.

1974년 한국에 갔을 때 외할머니 집에 갔더니 할머니가 안 보였다. 한국에 갈 때마다, 아니 어릴 적 금촌역에 내려 할머니 집까지 걷는 동안 내내 했던 걱정이 '할머니가 안 계시면 어떡하나?' 하는 것이었다. 그런데 이번에는 그 걱정이 적중했던 것이다. 미국에 연락할 방법을 몰랐던 사람들이라 내겐 알리지도 못했단다.

외할머니 산소에 엎드린 나는 가슴이 찢어지는 것 같았다.

"할머니! ……흑흑……. 할머니는 내겐 엄마였잖아요."

뜨거운 눈물이 쏟아졌다. 길거리 생활에 지쳐 더 이상 버틸 수 없을 때면 찾아가 쉬었던, 나의 유일한 피난처 할머니. 언제고 달려가 안겨 울 수 있었던, 열려 있던 할머니 품……. 싸리문을 열 때마다 맨발로 뛰어와 기뻐서 울고 한스러워 울던 할머니를 다시는 볼 수 없다니……. 가슴이 미어졌다. 이 세상에서 나를 내 새끼라고 불러 주던 단 한 사람을 잃어버린 나는 내 마음의 고향을 함께 잃고 말았다.

단칸 셋방에 사는 부모님과 동생들 때문에 늘 마음이 무거웠던 나는 1976년 아버지와 나의 고향인 파주에 기와집을 사 드리고서야 두 다리 뻗고 잠들 수 있었다. 또 흩어져 있던 할아버지, 할머니, 어머니의 묘를 이장해 한곳에 모셨다.

"내가 못 한 일을 네가 하는구나."

아버지는 모처럼 속내를 보이며 고마워했다. 그러나 아버지를 볼 때나 생각할 때면 언제나 마음 한구석에서 해묵은 분노가 고개를 들었다.

선교부장으로 한국에 있던 1989년 어느 날, 나는 작정하고 아버지를 찾아갔다. 먼저 연락하고 찾아가면 항상 술에 취해 있어서 대화를 나눌 수 없었기 때문이다. 전화도 없이 불쑥 들어갔더니 다행히도 아버지는 아직 맨정신이었다. 화기애애한 분위기에서 저녁을 먹고 나니 용기가 생겼다.

"아버지! 궁금한 게 있습니다. 제가 50년 이상 가슴에 품고 있던 의문이니 꼭 대답해 주셔야 합니다."

"뭐냐?"

"어머니가 돌아가신 후에 네 살밖에 안 된 저를 버리고 아버지는 도대체 어디 가셨습니까?"

뜻밖의 질문에 한참을 말없이 식은땀만 흘리더니 대답 대신 갑자기 벌떡 일어나 밖으로 나가 버렸다. 이번만큼은 무슨 일이 있어도 대답을 들어야겠기에 버티고 앉아 있었다. 밤 10시가 지나서 술에 취하신 아버지가 돌아왔다. 분위기가 심상치 않은 것을 느낀 새어머니는 얼른 자리를 피했다. 고집스럽게 앉아 있던 내 앞에 털썩 주저앉은 아버지가 말문을 열었다.

"인간이 어떻게 제 자식을 버릴 수 있다는 게냐?"

아버지는 담배 연기와 함께 한숨을 토해 냈다.

"네 어미가 죽었을 때 우리는 너무 가난했다. 남의 집에 머슴살이를 가면서 어린 너를 어떻게 데리고 갈 수 있었겠느냐? 그래서 생각다 못해 외가에 너를 맡겨 놓은 거다."

흐르는 눈물에, 부끄러움에 고개를 들 수가 없었다.

"아버지, 용서해 주십시오. 그런 것도 모르고 지난 50년 동안 아버지를 원망하고 미워했습니다."

이 나이가 되도록 인간의 근본 이치도 헤아리지 못하고 교수네 박사네 했던 것이 부끄럽고, 긴 세월 서리서리 맺힌 한이 서러워 아버지를 붙잡고 울고 또 울었다.

"아버지, 올 7월이면 임기가 끝나 미국으로 돌아갑니다. 아버지도 짐을 싸시지요."

가을이 되자 부모님이 미국으로 왔다. 우리 집 근처의 아파트를 얻어 드렸다. '내 아내가 한국 여자였다면 모시고 함께 살았을 텐데' 하는 아쉬움도 있었다. 그러나 끊이지 않는 손님과 하나같이 어려운 가족들을 그 어떤 여자도 다나처럼 변함없이 대하지는 못했을 것이다. 이곳저곳 여행도 다니던 아버지는 자신의 병을 아셨는지 돌아가시기 1년 전인 한국 방문 때는 "이것이 나의 마지막이다" 하며 친척들과 고향 산천을 두루 돌아보고 오셨다. 암세포가 온몸에 퍼져 도저히 손쓸 도리가 없어 누워 있던 아버지는 내 손을 잡더니 말씀하셨다.

"호범아! 나는 이제 간다. 한 많은 세상을 살았지만 너와 내 사이가 풀렸으니 이젠 정말 죽어도 여한이 없다. 그리고 불쌍한 네 동생들 미국으로 불러 줘서 정말 고맙다."

그 말씀을 끝으로 더 이상 아무 말도 못 하고 눈물만 흘리다가 한 달 후 78세로 돌아가셨다. 주 하원 재임 시절이라 많은 사람이 모인 가운데 장례식이 치러졌다. 나는 아버지를 헨리 잭슨의 무덤 제일 가까운 곳에 모셨다. 그는 대통령에 출마한 적이 있는 연방 상원의원을 지낸 정치가로 내가 제일 존경하는 사람이었다.

1982년, 대학 강단에 서던 어느 날 한 통의 전화가 걸려왔다.

"닥터 신! 헨리 잭슨 상원의원께서 모시는 것이니 꼭 나와 주십시오."

모임 장소인 워싱턴 주립대학으로 갔더니 언어학, 인류학, 역사학 교수 4명이 와 있었다.

"여러분, 지금 이란의 호메이니 때문에 동양에 큰 문제가 일어나고 있습니다. 동양에 대해 잘 모르는 저에게 공부 좀 시켜 주십시오."

1주일 동안 5명의 교수가 돌아가며 그를 위해 강의했다.

"여러분, 감사합니다. 이제 많은 것을 배웠으니 앞으로 더 나은 정치를 하겠습니다."

나도 한국 사람인 까닭에 정치가 하면 뇌물, 권력, 비리 속에서 사는 사람으로 일축해 버리곤 했는데 참으로 놀라운 충격이었다.

그는 1983년 7월, KAL기가 추락한 날 TV 인터뷰를 마치고 집으로 돌아온 지 1시간 만에 심장마비로 세상을 떠났다. 많은 사람들이 비명 한 번 못 지르고 죽었고 그들 가운데는 미국 의원도 한 사람 끼여 있어 가슴아파하다가 그 충격을 이기지 못했던 것이다.

나는 그에게서 배우고자 하는 열망과 겸손, 인류를 향한 뜨거운 사랑을 보았고 느꼈다. 그런 그를 존경하는 사람으로 가슴에 심었을 뿐 아니라 정치인에 대한 나의 편견을 버렸다. 지금도 나는 아버지의 묘를 찾을 때면 헨리 잭슨의 묘에 들러 나 자신을 돌아본다.

내가 입양아라는 사실 때문에 가끔 기자들이 나를 고아라고 신문에 실어 부모님과 동생들이 섭섭해하지만 누가 뭐라고 해도 나는 식구들과 북적거리며 살고 싶다. 가신 아버지가 그리워 새어머니를 찾아가면 언제나 내가 좋아하는 찌개를 끓여 주신다.

지난 추석날 홀로 계신 새어머니를 찾아보고 돌아오며 생각했다.

'어머니마저 안 계셨다면 명절 때 나는 어찌 지냈을까? 안 보이는 동생들은 왜 못 왔을까?'

한명 한명 모두 다 궁금하고 보고 싶은 큰형의 마음을 아는지 모르는지…….

한국말로 재미있는 얘기를 하지는 못하지만 동생들과 웃고 떠들며 살고 싶다.

지금도 큰동생 길범이는 가끔 나를 놀린다.

"댁이 신길범 씨입니까?"

그럼 나도 질세라 대꾸한다.

"사업은 어땠어? 저녁은 먹었어? 그럼 자지 그래."

그러고는 언제나 한바탕 신나게 웃는다.

무지개 건너 가신 아버지

웬일인지 강의를 할 수 없을 정도로 마음이 답답하고 슬퍼져서 진정할 수가 없었다. 도저히 견딜 수 없어 강의를 하지 못했다.

"여러분, 미안합니다. 지금 내가 몸이 불편해서 강의가 불가능하니 남은 시간은 자습하시기 바랍니다."

이제까지 교수 생활 25년에 이런 일은 처음이었다. 무작정 차를 몰아 캠퍼스를 빠져나왔다. 비 오는 거리를 한참 돌아다니다가 머킬티오 바닷가에 차를 세웠다.

'내 마음이 왜 이럴까? 시애틀 비에 다 늦게 우울증이라도 걸린 걸까? 아니면 어릴 적 슬픔이 잠재 의식 속에서 되살아난 것일까?'

점심도 굶은 채 차에 앉아 잿빛 하늘과 바다만 바라보다 오후가 되어 집으로 돌아왔다. 기분 전환이라도 해야 할 것 같아 수영장에 몸을 던져 수영에 열중해 보려고 애쓰는데 전화벨 소리가 요란하게 울렸다. 순간 불길한 예감이 온몸을 훑고 지나갔다. 덤벼들 듯 수화기를 집어들었다.

"헬로!"

"폴 형! 아버지가 돌아가셨어!"

"뭐라고?"

고압 전류에 감전된 듯 온몸이 굳어지고 타 들어가는 것 같았다. 눈앞이 캄캄해 아무것도 보이지 않아 한참을 그대로 서 있었다.

"어디서? 왜? 어떻게?"

울음이 터지기 시작했다.

"오늘 11시 30분에……. 폴 주니어를 만나러 아이다호로 가는 길이었는데 심장마비를 일으켜 차가 길 옆 바위를 들이받았대."

아이다호에서 11시 30분이라면 시애틀 시간으로는 10시 30분, 내가 세 번째 강의에 들어갔다가 수업을 못 하고 나왔던 바로 그 시간이 아닌가! 아버지가 돌아가셨기에 내 영이 벌써 알고 슬퍼한 걸까? 아니면 성령께서 아버지가 돌아가셨으니 기도하라고 나를 슬픔 가운데로 인도하신 걸까? 더 기가 막혔다.

"지금 아버지는 어디 계시지?"

"아직도 사고가 난 동네에 계셔."

"누가 모시러 갈 거야?"

"아직 모르겠어."

"어머닌 어떻게 하고 계시는데?"

"아버지 사고 소식을 듣고 까무러치셔서 아직도 실신 상태야."

"그래? 너희들은 걱정 말고 어머니나 잘 돌봐 드려. 내가 아버지 모시고 유타로 갈게."

전화를 끊은 나는 어른인 것도 잊고 엉엉 울기 시작했다. 그러나 마냥 그러고 있을 수만은 없었다. 마음을 다잡고 일어나 공항에 전화하니 그날은 아이다호로 가는 비행기가 없었다. 가만히 앉아 기다릴 수가 없어 짐을 챙겨 아버지가 있는 아이다호로 밤새 달렸다.

이제 겨우 67세밖에 안 되셨는데……. 아직도 20년은 더 사실 수 있는데……. 안타까워 미칠 것만 같아 다나에게 미안할 정도로 울면서 갔다.

'아버지는 내 아들 폴 때문에, 아니 나 때문에 돌아가신 거야!'

폴 주니어는 친구를 좋아하고 마음이 약해 나쁜 친구에게 자주 빠졌다. 평소 아버지는 바쁜 나를 대신해 폴과 대화를 나누려고 폴의 학교인 아이다호 릭스 칼리지를 자주 찾아다니다 결국 사고를 당한 것이다. 시애틀에서 오후 6시부터 달려왔는데 도착하니 다음날 오전 9시였다.

아이다호의 작은 마을 경찰서에서 아버지 시신을 찾아 장의차에 모시고 유타로 떠났다. 거리에서 지나는 장의차만 봐도 마음이 숙연해지고 무거워지는데 아버지가 누워 있는 장의차 뒤를 따라가는 내 심정은 그 어떤 말로도 형용할 수가 없었다.

장의차 뒤를 따라 유타까지 가는 5시간 동안 아버지와 함께했던 기억들이 하나하나 떠올랐다.

전쟁터인 장단 막사에서 처음 만난 폴 대위, 큰 키에 언제나 미소짓던 얼굴, 늘 성경을 들여다보고 시간이 나면 교회 막사에서 풍금을 치던 모습, 땅에 묻어 놓았던 시원한 물을 마시며 기뻐하던 모습……. 그 모든 아름답던 모습들을 생각하니 이제 더 이상 그를 만날 수 없는 현실 앞에 다시 울음이 터졌다.

내가 사 들고 간 과일을 꺼리며 먹지 않던 장교들 앞에서 선뜻 맛있게 먹어 주던 사람, 자기 손으로 톱질하고 망치질해 지은 진료실에서 피란민을 돌보던 사람, 귀뚜라미 우는 밤 신세가 기막혀 울던 나를 품에 안고 함께 울어 주던 사람, 집 뒷마당에 보기 좋은 잔디 대신 농구장을 만들어 놓고 온 동네 아이들을 불러 놀게 해 주던 사람…….

다 녹아 우유가 된 아이스크림을 마시던 생각을 하면 지금도 슬며시 웃음이 나고, 캐슬의 거짓말로 억울하게 죽을 뻔했던 나를 위엄 있는 모습으로 구해 내던 기억은 아직도 내 가슴을 떨리게 하는데…….

1주일을 기다려 애틋한 마음으로 주말을 함께 보냈던 미군 장교와 하우스보이가 이제는 늙어 가는 모습으로 서로 차를 달려와 시애틀과 유타의 중간인 보이시에서 만나 함께 주말을 보내던 아버지와 아들이 되었는데……. 함께 있고 싶어 그토록 그리워했던 부자는 이제는 언제 다시 만날 수 있을지 기약이 없었다.

30년 전, 나를 아들삼기 위해 손을 잡고 골목골목을 헤맸던 부산을 학생들 수학여행에 함께 끼여 다시 찾으며 변화된 한국의 모습에 놀라던 나의 구세주 아버지. 늦은 밤 내게 공부를 가르치며 빈 항아리 같은 내 머리에 얼마나 답답하고 피곤했을까? 드디어 박사 학위를 받던 1978년 졸업식날 내가 자랑스러워 끌어안고 울고 웃던 내 선생님 아버지.

양로원을 지어 드렸을 때 아버지가 하신 말이 떠올랐다.

"나는 이제 죽어도 한이 없다."

무거운 빚에서 벗어난 지 겨우 두 달밖에 안 된 것이 안타깝지만 만일 그 전에 돌아가셨다면 아마도 편히 눈감지 못하셨으리라.

그렇게 긴 시간을, 그리고 그렇게 많이 울어 보긴 처음이었다. 꼬박 하루를 과거와 아버지가 없는 현실 사이에서 몸부림치며 보냈다. 유타에 도착해 장의사에 아버지를 내린 후 관과 묘지를 준비해 놓고 어머니에게 가니 깨어나신 어머니가 제안하셨다.

"너희들 아버지가 평소에 아이들을 좋아하셨으니 꽃 대신 어린이 병원에 기부해 주도록 신문에 광고하자꾸나."

미국은 한국과는 달리 행사장에는 꽃이 없어도 장례식만큼은 꼭 꽃으로 단장하는데 꽃 없는 장례식을 치르게 된 것이다. 아버지가 가시는 길이 초라해지는 것이 싫어 어떻게든 마련해야겠다고 작정하고 있는데 장례식 전날부터 꽃이 들어오기 시작하더니 다음 날에는 온 교회가 꽃으로 뒤덮였다. 외무부 장관, 김현욱 의원, 주미 한국대사관, 시애틀 총영사관, 한인 단체, 한글학교, 친구, 제자……. 줄지어 화환이 들어왔다. 특히 한인들이 보낸 꽃은 더 크고 화려해 조문객들의 눈길을 끌었다.

"닥터 폴은 한국 애를 입양해서 호강했어."

"저 입양한 아들 우는 것 좀 봐!"

"아들 하나 잘 뒀어!"

"내 평생에 제일 화려하고 멋진 장례식이야."

가끔은 불만스럽고 부끄러웠는데 그때만큼은 한국 사람들이 정말 고맙고 자랑스러웠다.

장례식이 끝나자 변호사가 다들 들어오라고 불렀다.

"가족 회의가 있습니다."

"닥터 폴께서 남기신 유서를 모든 가족 앞에서 공개해야 합니다."

거실에 앉은 가족들의 얼굴이 숙연해졌다. 아버지가 어떤 생각을 하고 사셨는지 밝혀진다고 생각하니 왠지 두려움이 앞섰다. 내용은 간단했다. 집과 자동차는 어머니에게 남기고, 토지와 건물은 네 아들에게 똑같이 나눠 준다는 것이었다.

"이의 있습니까?"

"……."

아무도 말이 없어 내가 손을 들었다.

"어머니가 아직 살아 계신데 우리가 먼저 나눠 가질 수는 없습니다. 그리고 저는 제 몫을 어머니께 드리겠습니다."

어머니보다 동생들이 더 놀랐다. 동생들과 어머니는 이제껏 나를 완전히 믿지 않았기 때문이다. 또 아버지가 나를 친자식과 다를 바 없이, 아니 큰아들로 대했기에 동생들이 얼마나 나를 의심해 왔던가. 그날 이후 동생들은 진심으로 나를 형으로 받아들인 것은 물론이다. 나는 유산 대신 동생이라는 더 큰 재산을 얻었다.

아버지 무덤 앞에 털썩 주저앉았다. 미국으로 가는 폴 대위를 태운 차가 먼지를 일으키며 사라졌을 때 허탈감과 억울함에 목놓아 울었는데 다시 똑같은 심정으로 목놓아 울었다.

"나와 함께 미국 가자. 그곳에 가면 공부할 수 있다"며 무지개를 보여 주었던 폴 대위가 이제 "나와 함께 천국 가자. 그곳에 가면 이별이 없다"며 무지개를 건너 또다시 떠났다. 이제 그는 내 곁을 떠나 천국으로 가 버렸기에 현실이 아닌 꿈이 되었지만 언젠가 천국 가서 그를 만나는 날, 더 이상은 꿈이 아니리.

나 그대 곁에

나
그대 창가의 한 줄기 별빛 되어
처절하게 지쳐 외로운 영혼에
찬란하게
새로운 소망으로 비춰 주리

나
그대 숨결 사이 한 자락 바람 되어
길 없이 흐르는 눈물의 두 뺨을
싱그럽게
소리 없는 속삭임으로 닦아 주리

나
그대 꿈길 속 한 마리 새 되어
슬픔에 절은 해 묵은 한을
애절하게
공명되는 울음으로 노래하리

나
그대 뜰 아래 한 송이 꽃 되어
긴 밤 하얗게 헤맨 눈동자에
화사하게
눈물 머금은 웃음으로 피어나리

아버지를 절대로 보낼 수 없어 몸부림치던 어느 날,
아버지가 내게 찾아오셔서 속삭여 주신 노래를 적었다.

작은 소망이 큰일을 이룬다

1975년, 베트남전이 끝나자 수없이 많은 난민들이 배를 타고 파도처럼 밀려왔다.

태평양 바닷가인 워싱턴 주에도 많은 베트남인들이 정착했고 그들을 돕고자 연방 정부에서 막대한 원조금이 나왔다. 주지사 댄 에번스는 늘어나는 동양인들을 위해 동양 7개국 대표를 뽑아 후원회를 구성하면서 한인회장으로 안면이 있던 나를 초청했다. 다른 나라 위원들은 모두 이민 2세나 3세였고 1세는 나뿐이었다.

회의에서 연방 정부의 원조금 6백만 달러를 난민들에게 골고루 나눠 주자는 의견이 지배적이었는데 내가 반대했다.

"아니, 미스터 신, 불쌍한 난민을 돕자는데 왜 반대합니까?"

"생선을 주지 말고 낚싯대를 줘서 생선 잡는 법을 가르쳐 주어야 합니다."

“그게 무슨 말이죠?”

“성경 속에 있소?”

“6백만 달러는 막대한 돈이지만 나누면 한 사람에게 2천3백 달러입니다. 3개월만 지나면 다 떨어지고 맙니다. 그럼 그 다음엔 누가 또 줍니까? 차라리 그 돈으로 기술학교를 세워 그들에게 먹고 살 수 있는 길을 열어 줍시다.”

결국 용접과 배관, 설비, 운전 등의 기술을 가르치는 학교를 세웠다. 그리고 그 분야의 기술자를 필요로 하는 보잉사와 타드-라키드 조선소의 공동 투자로 7개월의 교육 기간 동안 생활비를 대 주게 했다.

그 결과로 그 동안 식당에서 접시나 닦던 한인들이 앞다퉈 학교에 들어갔다. 한인들은 게으르고 일하기 싫어하는 베트남인들을 제치고 자격증을 딴 후 먼저 직장을 얻어 성실하게 일했다. 나중에는 책임자까지 한인으로 바뀌어 버렸다. 시간당 겨우 4~5달러씩 받던 단순 노동자들이 하루아침에 11~12달러를 받는 기술자가 된 것을 보며 나는 큰 보람을 느꼈다.

몇 년 후 조선업계와 보잉사의 경기가 악화돼 많은 기술자가 일자리를 잃었다. 그러나 한인들은 그 동안 모은 돈으로 이번에는 슈퍼마켓이나 식당, 세탁소, 모텔 등의 개인 사업을 시작했다. 기술자에서 사업가로 다시 한 번 변신한 한인들은 힘을 모아 미국 주류 사회에서도 무시하지 못하는 상공인 단체들을 만들어 냈다. 나의 작은 아이디어 하나가 동족에게 큰 도움이 되는 것을 보면서 작은 일을 큰일로 보고 하나하나 최선을 다하자고 마음먹었다.

그 동안 주로 학계나 금융계, 상공업계에 머물러 있던 우리 한인들도 이제는 정계에 들어갈 때가 되었다고 생각하는 사람들이 하나 둘 늘어 갔다. 그러나 나는 내가 정치가가 될 수 있다고는 상상조차 해 본 적이 없었다.

"폴 신! 내 곁으로 와서 나를 도와 주시오."

한인회장 시절부터 나를 지켜봐 온 에번스 주지사가 무역고문으로 나를 불렀다.

딕시 레이, 존 스펠만, 부스 가드너 주지사까지 15년 동안 4명의 주지사와 함께 일하는 사이에 태평양 시대가 열려 동양에 대한 관심이 높아졌다. 일본 전자제품과 자동차가 미국 시장을 휩쓸고, 세계 인구의 5분의 1을 차지하는 중국이 국제 사회를 향해 문을 열기 시작했다. 모두들 아시아로 눈을 돌릴 수밖에 없었다. 작은 여러 나라가 인접해 있는 유럽은 서로 비슷한 문화를 갖고 있는 데 반해 아시아는 너무나 다양한 문화를 갖고 있었다. 서양 사람들로서는 신비하고 궁금한 것이 당연했다.

동양과의 무역에 혈안이 되어 있던 때였기에 우리 워싱턴 주도 아시아로 무역대표단을 자주 보냈다. 나는 동양학 교수로 있으면서 학생들을 데리고 아시아를 여행할 기회가 많았기에 그 나라들의 문화를 이해할 뿐만 아니라 한국말, 중국말, 일본말이 가능해 많은 일을 맡게 됐다. 그때 함께 일했던 사람들은 나를 '기름'이라고 불렀다. 어딜 가나 쓸모 있고 유머로 분위기를 부드럽게 해 준다고 붙여 준 별명이었다.

주 정부에서 활동하는 동안 무역 분야의 능력을 인정받아 공화당과 민주당 합동 무역대표로 위촉받게 되어 당을 떠나 많은 정계 인사들과 교류했다.

한국은 중국이나 일본보다 무역사절단에게 더 좋은 인상을 주어서 나는 마치 내가 칭찬받은 것처럼 어깨가 우쭐해지곤 했다.

1986년, 부스 가드너 주지사 일행과 함께 아시아 순방을 끝내고 돌아오는 비행기에서 주지사가 뜻밖의 제안을 해 왔다.

"폴, 정치가가 되어 볼 생각 없소?"

"제가요?"

"폴은 학자에 사업가에 외교관임을 이번 여행에서 느꼈소. 우리 주는 바로 당신 같은 사람이 필요하오."

"제가요? 이 얼굴로요?"

"왜요? 뭐가 문제인가요?"

"저는 아닙니다. 제 다음 대에나 인물이 나오겠지요. 저는 그냥 학자로 남겠습니다."

일은 거기서 끝난 게 아니었다. 여행에서 돌아온 지 얼마 안 되어 주지사의 초청을 받았다. 주지사 관저에는 앤더슨 씨와 퍼먼 씨가 먼저 와 있었다.

"세 분을 이 자리에 모신 것은 주 의회에 민주당으로 출마해 주셨으면해서입니다."

다른 두 사람은 그 자리에서 흔쾌히 수락했다. 앤더슨 씨는 곧바로 선거운동을 시작해 2년 후 주 하원에 당선됐다. 계속 주저하는 나를 향해 주지사는 강조했다.

"동양이 깨어 일어서고 있고 우리 워싱턴 주는 동양을 잘 아는 대표가 필요하오. 폴도 알다시피 무엇보다도 우리 주의 동양인 수가 계속 늘고 있지 않소."

그러나 내 대답은 언제나 '안 돼! 나는 안 돼!'였다.

길거리에서 동네 사람들을 만나면 '저 사람들이 나를 자기를 대신하는 의원으로 뽑아 줄까?' 하는 생각을 해 봤지만 절대로 불가능한 일이었다. 가드너 주지사는 포기하지 않고 끈질기게 나를 설득해 왔다. 또 친구인 한국의 김현욱 의원도 강력하게 권했다.

"폴 신! 당신이 나가서 길을 닦아야 우리 2세들이 정계에 진출할 꿈을 갖게 돼요. 정치는 뜻이 있는 사람이 해야 하고 부지런히 최선을 다하면 당선될 수 있소!"

김 의원이 정치학 교수였던 1978년, 오리건 주립대학에 교환교수로 왔을 때 어느 학회 모임에서 그를 우연히 만났다. 큰 키에 귀공자 같은 외모인 그는 영어뿐 아니라 독일어까지 유창했고 성격도 쾌활했다. 내성적이고 조심스러운 성격인 나는 그런 그가 항상 부러웠다. 우리는 서로 호감을 갖고 만나다 보니 어려움과 기쁨을 함께 나누는 친구가 됐다.

처음 그가 강단을 떠나 그의 고향인 당진에서 국회의원으로 출마했을 때 나는 골치 아픈 정치판에는 왜 들어가는지 이해할 수가 없었다. 당선된 후 외교 분과 위원장을 맡은 그가 미국에서 일어나는 세세한 일들까지 내게 묻고 확인하는 것을 보면서 정치는 애국자만이 할 수 있는 일이라고 생각을 바꾸게 됐다.

김 의원의 선거 때는 내가 한국으로 가서 찬조연설을 하기도 했고 나의 선거 때는 김 의원이 시애틀로 와서 피킷을 들고 길거리를 누비고 다녔다.

김 의원이 선거에 떨어졌을 때 나는 그를 워싱턴 주립대학의 교환교수로 초청했고 내가 낙선하자 그는 "폴 신! 떨어지는 것도 중요한 경력이오" 하며 선배로서 용기를 북돋워 주었다.

1999년 1월, 나의 주 상원 취임식 때는 그가 주 의사당에서 영어로 축하연설을 했다.

가드너 주지사와 김 의원의 끈질긴 설득에 마침내 출마를 결심했다.

"잘 생각하셨소. 우리 지금부터 함께 뜁시다."

그러나 1주일 후 나는 교회본부의 전화를 받았다. 댈런 옥스 총무였다.

"신 장로, 중요한 의논이 있는데 내가 시애틀로 가겠소."

"아닙니다. 제가 찾아뵙겠습니다."

의아한 마음으로 그를 찾아갔다.

"사회나 교회를 위한 신 형제의 봉사와 헌신을 우리는 잘 알고 있어요. 이번에 한국 선교부장을 맡아 하나님과 교회를 위해 일해 주시겠소?"

선교부장이라면 신도에게 주어지는 최고의 명예이며 이제껏 동양인 선교부장은 유례가 없는 일이었다.

"진심으로 감사드립니다. 기도해 보고 연락드리겠습니다."

이제 막 정치에 입문하기로 여러 사람과 약속했고 기회는 항상 오는 것이 아니라서 너무 안타까운데 돌아오는 비행기에서 다나가 졸랐다.

"폴! 하나님이 당신을 필요로 하고 있어요."

'오늘의 내가 있게 된 것은 신앙심 깊은 아버지 때문이었다. 또 교회에서 나를 감싸 주지 않았다면 지금 나는 어찌 되었겠는가?'

"그래, 다나! 하나님의 일을 먼저 합시다."

정계 진출이라는 새로운 도전을 포기하는 것은 아쉬웠지만 먼저 그의 나라와 그의 의를 구하라는 성경 말씀을 생각하며 마음을 비웠다.

"주지사님, 저를 생각해 주신 귀한 뜻은 진심으로 감사합니다. 하지만 한국에 선교부장으로 나가게 됐습니다."

"아니 뭐요? 도대체 정신이 있는 거요? 영광의 자리를 코앞에 두고 선교하러 나간다는 거요?"

"하나님의 영광부터 찾기로 이미 결정했습니다."

단호한 대답에 더 이상 말을 잇지 않았다.

"그럼 다녀오시오. 내 기다리겠소."

"감사합니다."

인사말로 듣고 말았는데, 3년 후 선교부장 임기를 끝내고 돌아온 내게 그는 또다시 이렇게 말했다.

"폴 신! 이제 더 이상 다른 이유는 없겠죠? 그럼 시작합시다."

마침내 보인 희망

나를 기다려 준 가드너 주지사의 설득에 운명이라고 믿고 출마를 결심했지만 문득문득 두려움에 휩싸일 수밖에 없었다.

동양인 악센트를 가지고 있는 1세에 검은 머리, 납작코가 키 큰 백인 세상인 정계에 어찌 발을 들여놓으며, 미국 사람 한국 사람 할 것 없이 근본 없는 입양아를 자기들의 대변인으로 뽑아 줄 사람이 있겠는가? 포기하고 다시 내 본연의 자리인 강단으로 돌아간 지 얼마 후 랄프 먼로 주 국무장관의 연락이 왔다.

"폴! 주 의회에 나올 생각이 있다고 들었소. 주 상원인 게리 넬슨이 연방 하원에 출마하는데 아무래도 약해. 폴이 공화당으로 아예 연방에 나가면 어떻겠소?"

"내 이 얼굴과 경력으론 주 하원도 자신이 없는데 어떻게 연방에 나가란 말입니까?"

"바로 그거요!"

"폴! 당신에게는 남들이, 특히 미국인들이 상상조차 할 수 없는 인생 이야기가 있잖소. 그걸 이용하시오! 당을 떠나서 친구로서 얘기하는 거요."

'나의 과거? 눈물로 얼룩져 두 번 다시 생각하기도 싫어 꼭꼭 숨겨 놓은 비밀을 이용하라니?'

처음에는 기가 막혔지만 곰곰이 생각해 보니 무슨 뜻인지 알게 되었다.

'사회보장이 잘 되어 있는 풍요의 땅 미국에 살면서 감사할 줄도 모르고 어른들은 이혼을, 청소년들은 마약을 밥 먹듯 한다. 고생 보따리인 내 인생 얘기는 그들에게 자기 자신을 돌아보게 할 것이 분명하다.'

희망이 보였다.

그 무렵 한인 2세인 마사 최가 시애틀 시의원으로 출마해 한인들의 관심을 끌고 있었다. 명절이면 인사를 거르지 않았던 에드워드 최씨의 딸로 일찍부터 그녀의 총명함과 활약상을 알고 있었다. 이익환 씨를 위원장으로 위원회를 결성해서 많은 한인들이 그녀를 도왔다. 그녀의 당선은 한인 사회뿐 아니라 본국에서도 큰 경사였다.

"자! 이제 신 박사 당신 차례요. 마사 최도 당선됐으니 조금만 더 힘을 모은다면 더 큰 일도 해낼 수 있어요."

한인들의 생각은 한결같았지만 정작 투표는 미국인들이 하는 것이니 결정도 그들 손에 달린 일이었다.

그런데 망설이던 나의 결단을 부추기는 일이 생겼다.

내가 사는 동네 현역 의원인 잔 백이 은근히 나를 떠 보지 않는가.

"폴! 이번 선거에 출마설이 있던데 사실입니까?"

"아직 생각 중입니다."

"게리 넬슨 상원의원이 연방에 나가면 그 자리에 내가 들어가 볼까 하는데 이번엔 나를 좀 도와 주시오. 내 자리를 폴 당신에게 주리다."

결국 나보고 이번에는 출마하지 말라는 뜻이었다.

'될지 안 될지도 모르는 선거를 놓고 자기 마음대로 물려주겠다니……. 이 사람은 정치를 자기 개인 사업이나 명예로 아는 건가?'

은근히 부아가 났다.

'아니면? 나를 두려워하는 건가?'

슬그머니 한번 도전해 보고픈 마음이 일었다.

'그래! 내가 갈 길은 25년 동안 살아온 우리 동네 의원으로, 바로 잔 백을 상대로 출마하는 거야!'

민주당인 가드너 주지사나 공화당인 먼로 장관을 떠나서, 보수적이고 상류 사회를 대변하는 공화당보다는 진보적이고 소수 민족의 인권을 옹호하며 저소득층의 입장에 서는 민주당을 내가 몸담을 곳으로 정했다.

제일 먼저 가족들에게 내 결심을 알리자 폴과 리사, 사위까지 흥분하며 아버지가 자랑스럽다는데 다나는 말이 없었다.

"다나! 내겐 당신 의견이 중요하니 뭐든 말 좀 해 보구려."

"나는 찬성도 반대도 못 하겠어요. 당신의 건강과 우리 가정을 생각하면 반대지만 당신의 동족이나 이 사회가 당신을 필요로 한다면 나도 돕겠어요."

1992년 2월, 교포 사회의 지도자들이 모여 간담회를 가졌다.

"이제야말로 우리 한인들도 힘을 모아 정계에 도전할 때입니다."

전·현직 한인회장들과 단체장들이 만장일치로 의견을 모았다.

"저는 지난 40년 동안 저에게 새 삶을 준 미국과, 한국인으로서 긍지를 찾게 해 준 이곳 한인 사회에 보답하고자 예순이 다 된 늦은 나이지만 출마를 결심했습니다."

스노호미시 카운티 제21지구 주 하원 출마를 공식 선언했다.

미국인 친구들인 교수들과 여러 단체장, 제자들에게도 출마를 알렸더니 기뻐하기도 하고 더러는 걱정해 주기도 했다.

"닥터 신! 잘 생각했소. 누군가 해야 할 일이라면 바로 당신이 할 일이오."

"폴! 어려움이 많을 거요. 힘들어도 참고 이기시오. 내 도움이 필요하면 언제든 도우리다."

"어머나! 교수님, 의회로 나가시게요? 꼭 될 거예요. 그런데 우리는 못 뵙겠네요."

점점 깊이 빠져들어가 이젠 돌이킬 수도 없었다.

가드너 주지사가 정치 컨설턴트를 붙여 주어 본격적으로 선거운동에 들어갔다. 민주당을 위해 평생을 일한 진 벌키 여사를 나의 선거 매니저로 소개받았다. 그녀는 나를 보고는 썩 내켜하지 않았지만 당 차원에서 미는 일이라 마지못해 수락했다. 마사 최 선거전을 성공시킨 김광석, 김영수, 리아 암스트롱, 조요한, 곽종세, 오계희 씨가 위원이 되고 이익환 씨를 위원장으로 추대해 운영위원회를 결성했고 이어 미국 사회에서도 운영위원회를 조직했다.

친구인 보브 드르웰 스노호미시 군수를 중심으로 마사 최, 로터리클럽 회장, 선거 구역의 시의원, 군 검찰총장 등이 내 곁으로 모여들자 미국 사회도 차츰 나를 주시하기 시작했다.

나는 다음과 같은 선거 공약을 내걸었다.

- 가정교육을 근본으로 하는 교육제도 개선으로 미국 사회의 정화.
- 한국을 비롯한 태평양 무역 개발.
- 스노호미시 군의 경제 부흥과 범죄율 감소.
- 교통 체증의 해소.

드디어 4월 15일, 에드먼드 대학 유니언 빌딩에서 미국 사람들을 향한 첫 지지대회를 열었다. 한인 80여 명, 미국인 2백여 명이 모여 열렬한 환호 속에서 대회가 치러졌다. 즉석에서 8천여 달러의 성금이 모여 모두 깜짝 놀랐다.

가드너 주지사는 다음과 같은 말로 나를 격려했다.

"신 후보는 오랫동안 워싱턴 주의 교육계뿐만 아니라 경제, 외교 등 여러 분야에서 헌신해 온 인물이며 나의 좋은 친구입니다. 신 후보의 당선을 진심으로 바라며 확신하는 바입니다."

보브 드르웰 군수는 아예 수표를 내보이면서 노골적으로 자금 지원까지 부탁하며 자신의 지지를 과시했다. 내가 미국 사회에 폭넓은 지지 기반을 갖고 있음을 알게 된 교민들은 비로소 안도하는 듯했다.

"저는 한국에서 만들어져 미국에서 재생되었습니다(I was made in Korea, but recycled in America). 40년 동안 내게 가르침과 은혜를 베풀어 준 미국을 위해 봉사하고자 이 자리에 나왔습니다. 앞으로 작은 일에도 큰 사랑을 가지고 여러분과 워싱턴 주, 나아가 미국을 위해 일하겠습니다."

모두 기립박수와 환호로 나를 격려해 주어 나는 흥분과 감격을 감출 수 없었다. 첫 지지대회 이후 시애틀 타임스를 비롯해 P.I., 에버렛 헤럴드 등의 신문이 공식적으로 나를 지지하기 시작했다. 또 교포 사회도 중앙일보사와 한국일보사를 중심으로 후원 행사를 벌여 바람을 일으켰다.

"여러분을 대신해 제가 나갑니다. 당선되면 우리 한인들의 권익 보호를 위해 최선을 다해 뛸 것입니다. 무엇보다 우리의 2세, 3세들의 발판이 되겠습니다."

두루마기 차림으로 단상에 오른 80세의 김병섭 장로님의 선창에 모두 손바닥이 터져라 박수를 치며 "폴 신!"을 연호했다.

시애틀과 타코마뿐 아니라 인근의 스포켄, 캐나다 밴쿠버, 트라이시티 그리고 먼 곳에서도 성원을 보내왔다. 이미 시위를 떠난 화살이었지만 실패할지도 모른다는 생각이 들 때면 남몰래 두려움에 떨었다.

선거전의 와중에 한인의 미국 이민 역사에서 지워지지 않을 상처인 슬프고 기가 막힌 사건이 터졌다.

LA 폭동.

로드니 킹 재판의 평결에 불만을 품은 흑인들이 4월 29일 폭동을 일으켜 방화와 약탈로 한인타운을 순식간에 폐허로 만들어 버렸다. 폭도들과 필사적으로 싸우며 가게를 지키는 사람, 하루아침에 잿더

미가 된 자신의 가게에서 망연자실 허공만 바라보는 사람, 약탈당해 텅 빈 가게에서 울부짖는 사람들의 모습이 미국뿐 아니라 전세계에 보도됐다.

죽고, 다치고, 빼앗겨 무참히 짓밟힌 상황에서도 한인들이 할 수 있는 일이라고는 끓어오르는 울분을 삼키고 대형 태극기를 앞세워 평화 시위를 하는 것뿐이었다. 백인에게 인권을 유린당한 흑인들이 무엇 때문에 애꿎은 한인들에게 복수의 화살을 쏘았는지, 왜 우리 한인들은 그대로 당할 수밖에 없었는지, 며칠 밤을 잠을 이루지 못했다.

우리 한인들은 '돈! 돈! 돈!' 하며 살았기에 가난한 흑인들을 멸시해 왔다. 그들 덕분에 살면서도 정작 그들을 고객으로 대우해 주지 않은 것이다. 또 양반 상놈 하는 계급 사회에서 살아온 탓에 힘없고 배운 것 없는 흑인들을 무시해 왔다. 수백 년을 백인들에게 억눌려 살아온 것도 분한데 이제 또 난데없이 한인들에게까지 사람대접을 못 받으니 그 동안 쌓인 분노가 폭발하고 만 것이다. 함께 어울려 살지 못하고 이웃을 친구로 만들지 못한 탓이었다.

그럼 우리의 분노와 상처는 누가 달래 준단 말인가?

눈물을 닦고 일어나 보험금과 성금 몇 푼을 챙겨 들고 떠나면 그만일 수는 없었다. 다민족의 나라 미국 속에 유태인들처럼 한민족 대표 정치가들이 있었다면 우리의 권익을 찾고 보호받았으리라. 우리의 사업체가 불타고 약탈당할 때 우리의 자존심과 권리가 유린당하였고 한민족은 힘없는 민족임을 온 천하에 알리지 않았는가.

밥 구걸, 표 구걸

미국 북서부의 워싱턴 주에서 가장 큰 도시 시애틀은 캐나다까지 이어지는 올림픽 반도를 내다보는 해안 도시다. 해안을 끼고 북으로 올라오면 만나는 작은 도시가 바로 내가 사는 에드먼드라는 곳이다. 올림픽 반도가 가로막고 있어 늘 잔잔한 파도가 밀려오고 그 위를 그림같이 돛단배들이 떠다닌다. 카페리호는 뱃고동을 울리며 건너편 섬에서 출퇴근하는 사람들을 실어 나른다.

전통과 예술을 사랑하는 안정된 사람들이 모여 사는 오래 된 도시인 탓에 중년 이상의 백인들이 주로 살고 있어 보수당인 공화당의 텃밭 노릇을 톡톡히 해 온 곳이기도 하다. 내 경쟁자인 공화당 잔 백의 집안만 해도 3대째 이곳에서 장의업을 이어 오고 있는 이 고장의 터줏대감이다. 미국은 한국과는 달리 공동묘지가 시내나 주택가 한복판에 자리잡고 있고 꽃과 분수로 단장한 공원 같은 곳이다. 그 안에 교회와 리셉션홀 등의 시설이 있어 장의업자는 수만 평에 이르는 땅과 건물을 가진 부자일 뿐 아니라 그 지역의 대표적인 유지라고 할 수 있다.

잔 백은 8년 동안 외교관 생활을 하다가 가업을 물려받은 공화당 3선 의원이었다. 제21구역은 이 에드먼드와 린우드, 머킬티오, 마운트레이크 테라스의 4개 도시로 하원 2명, 상원 1명으로 구성되어 있다. 이들 모두가 공화당이며 주민은 94%가 백인이고 아시안은 3%에 불과한 백인 사회였다. 그렇다고 이제 와서 이사를 갈 수도 없고 간다고 한들 새 동네에서 뜨내기인 나를 받아 줄 리도 없었다.

"폴, 운이 없군. 잔 백과 상대하게 생겼어."

시작이 반이라는데 이미 시작했으니 돌아갈 길은 더 먼 셈이었다. 최선을 다하는 수밖에 다른 도리가 없었다. 내 선거 사무실은 밤이고 낮이고 쉴 틈이 없었다. 교수 친구들과 제자들, 동네 사람들로 구성된 미국인 봉사자들은 주로 낮에 나와서 전화를 걸거나 포스터를 붙이고 피킷을 들고 거리를 돌았다. 한인 봉사자들은 가능하면 동양인임을 드러내지 않으려고 한밤중에 다니며 말뚝을 박는 고생도 마다하지 않았다. 그러나 애써 박아 놓아도 시청 직원들이나 상대측에 의해 며칠을 버티지 못하고 뽑혀 버리곤 했다.

"폴 신을 뽑자!"

피킷을 든 봉사자들을 향해 야유를 던지기도 했다.

"칭(중국 사람을 얕잡아 부르는 말)!"

"우리는 잽(일본 사람을 얕잡아 부르는 말) 필요없어요!"

신이라는 성에 동양인임을 알아본 이들은 단번에 거부감부터 드러냈다.

'이대로 가다간 지고 만다. 22년이나 끄떡없던 공화당의 아성을 동양인인 내가 무슨 수로 넘어뜨린단 말인가?'

그때 먼로 장관의 말이 생각났다.

"폴! 자네의 인생 이야기를 이용하게!"

그러나 사람들에게 전달할 방법이 문제였다. 이미 신문이나 방송을 통해 보도가 나가긴 했지만 관심을 보인 사람은 드물었다.

'집집마다 찾아가는 수밖에 없다. 직접 찾아가 나를 소개하자!'

그러나 1만 2천 가구나 되는 그 많은 집들을, 더구나 초대를 받은 것도 아닌데……. 내 체면은 뭐가 되고 문이나 열어 줄는지…….

'그래! 천릿길도 한걸음부터다!'

지도를 펴 놓고 구역을 나눠 가가호호 방문을 시작했다. 각오는 했었지만 생각보다 수십 배 더 어려운 일이었다. 점잖은 내 선거 매니저는 월부 책장수처럼 남의 집 문을 두드릴 수는 없다며 꽁무니를 뺐고, 내성적인 다나도 질색을 했다. 할 수 없이 사위나 봉사자들을 데리고 다니거나 그도 저도 없으면 혼자 다니기 시작했다. 한국처럼 집들이 서로 붙어 있거나 아파트라면 좋으련만 멀찍이 뚝뚝 떨어져 있고 게다가 바닷가 지형이라 언덕과 계곡이 유난히 많았다.

"안녕하세요? 이 지역 주 하원에 출마한 폴 신입니다."

"어머나, 여기까지 올라오시다니…… 제가 꼭 찍을게요. 이렇게 높은 언덕에 살아서 죄송해요."

귀여운 아주머니였다.

"이렇게 비까지 오는데 수고가 많으십니다. 저는 공화당이지만 당신의 성의를 봐서라도 이번엔 당신을 찍어야겠네요."

"오늘같이 더운 날 고생이 많으시네요."

날씨 덕을 톡톡히 보기도 했다.

"우리 집에 정치인이 찾아오긴 처음입니다."

"참 겸손하시군요. 우리 가족은 당신 편에 서겠습니다."

"당신은 박사에 교수라니 우선 안심이 되는군요."

무엇보다 내가 입양되었고 받은 은혜에 보답하기 위해 봉사하려고 출마했다는 데 많은 사람들이 감동을 받고 마음을 바꾸었다. 내가 만나 본 미국 사람들 개개인은 기독교 정신을 바탕으로 정직하고 친절하며 상대가 겸손하게 대하면 무시하기보다 고마워했다.

누가 그랬는가, 미국은 '고양이와 개의 나라' 라고. 한 집 건너 개요, 한 집 건너 고양이니 거의 모든 집에 개나 고양이가 있다. 우리 집 고양이나 개는 귀엽고 가족같이 친밀하나 외부인에게는 섬뜩하고 철저히 배타적이지 않는가. 갑자기 나타난 동양인을 보고 짖고 달려들어 물린 적도 여러 번이다.

"아이고, 이를 어쩐담!"

약을 바르고 나서며 꼭 찍어 주겠다는 말에 욱신거리는 상처도 잊고 다리에 힘을 주었다가 비명을 지르기도 했다.

그러나 애써 찾아가도 반 이상은 빈 집이고 대화를 나누어도 단순한 만큼 고지식하여 꽉 막힌 사람, 친절하지만 속은 알 수 없는 사람도 많았다. 어떤 사람은 백인 우월주의에 젖어 아예 노골적으로 동양 사람은 인간 취급도 안 했다.

"나는 공화당입니다."

말 건넬 사이도 없이 돌아섰다.

"정치인이 되려고?"

정치인을 미워하는지 내가 놀랄 정도로 문을 쾅 닫아 버렸다.

"No thank you."

동양인 얼굴을 보더니 무조건 싫단다.

"이 지역은 백인 동네입니다. 어떻게 그런 얼굴로 출마하셨습니까?"

"여긴 미국인데 외국 사람이 정치를 한다는 것은 말이 안 돼요."

충고를 넘어서 야단을 치는 이도 있었다.

당장이라도 집어치우고 싶었지만 친구들이나 동족들과 한 약속을 생각했다. 또 LA 폭동까지 일어난 뒤라 우리 한인들도 꼭 정계에 진출해야 했기에 그럴 수가 없었다.

아침 일찍 일어나 주로 조찬 모임에 나가 연설하게 되는 까닭에 아침은 먹는 둥 마는 둥 했고, 한 집이라도 더 찾아가기 위해 점심도 이동하는 차 속에서 햄버거로 때우는데다 저녁 모임까지 나가니 영양실조마저 걸릴 지경이었다.

땅거미가 지면 온 가족이 모여 오순도순 단란한 시간을 보내는데 눈치 없이 끼여들었다가는 그나마 있던 표까지 잃기 십상이었다.

돌아오는 길은 몸도 마음도 천근만근인데 부어오른 다리마저 말을 듣지 않았다. 왠지 울적한 마음에 하늘을 올려다보았다. 어린 시절 무덤가에 누워 바라본 하늘이나, 고학생 시절 일과 공부에 지쳐 바라본 하늘과 조금도 다름없이 무심한 별만 쏟아질 듯 반짝였다.

가슴에 울분을 가득 담은 채로는 가족들의 얼굴을 웃으며 대할 자신이 없어 바닷가로 차를 돌렸다.

'도대체 내가 왜 이 짓을 하고 있는가? 이것이 내 팔자인가?'

문 두드려 밥 구걸하던 인생이 이제는 다시 표를 구걸하고 있었다.

너희 나라로 가!

Go home!

집에 찾아와 준 것을 고마워하고 찍어 줄 것을 약속하는 사람을 하나라도 만나는 날은 배고픈 것도 힘든 것도 더운 것까지도 잊었다. 배척과 몰이해를 이기고 누군가를 설득했을 때는 그 동안의 설움과 맺힌 한에서 풀려나는 듯한 희열을 맛보기도 했지만 순간순간 밀려오는 불안과 걱정은 나의 혼을 끝없는 고독과 번민 속으로 밀어넣었다.

백인들의 오만과 흑인들의 무지는 이미 각오한 것이었지만 동족들의 시기와 모함은 불타는 사명감을 사그러뜨리고 실망에서 절망으로 이르게 하여 조용히 손주들이나 돌보며 살고 싶어지기도 했다.

날이 어두워져 집으로 돌아가는 길은 무거운 마음 때문인지 다리가 더욱 아파 걷는 게 아니라 거의 끌다시피 하며 갔다. 별조차 뜨지 않는 비 오는 밤은 더욱 공허한 마음으로 초인종을 눌렀다. 아이들도 다 커서 짝 찾아 날아갔고 해를 거듭할수록 늙고 약해지는 다 나만이 남편을 기다리다 지쳐 졸리운 눈으로 맥없이 문을 열었다.

"다리 좀 어때요?"

"……"

"오늘 또 속상한 일 있었어요?"

"별일 아냐."

샤워를 마치고 부은 발을 소금물에 담근 채 낮의 일을 떠올렸다.

"신 박사! 이 얼굴로는 절대 안 돼요. 괜히 여러 사람 힘들게 하지 말아요."

"교수로 만족할 일이지 뭐가 부족해서 정치까지 하겠다는 거요!"

"박사가 되고 보니 이젠 권력이 탐나는 거야!"

"교포들이 힘들게 번 돈 긁어다 낭비하고 있어!"

교포들의 오해와 시기는 상상을 초월할 정도였다.

이불을 높이 쌓아 그 위에 다리를 올려놓고 누웠다. 온몸이 쑤시고 아파 잠은 이미 천리 만리 달아나 버렸다.

"신 박사! 와이셔츠 한 장 다려야 고작 1달러 법니다. 한푼 한푼이 다 내 피땀어린 노동의 대가니 귀하게 써 주시오."

고생해서 번 돈을 함부로 쓸 수 없다며 술자리에도 안 가는 김씨가 내민 봉투에는 와이셔츠 5백 장을 다린 값이 들어 있었다.

"폴 신! 내 몫까지 뛰어 주시오!"

뜻밖의 큰돈을 쥐여 주며 정작 자신은 한인 사회에 얼굴 내밀기를 꺼리는 김 장로의 당부도 떠올랐다. 다 식어 버린 줄 알았는데 내 가슴이 다시 서서히 더워지기 시작했다.

'그래! 긍정적인 말만 듣고 긍정적으로 생각하자. 매사를 부정적

으로 봐서는 되는 일이 하나도 없다!'

가슴이 뜨거워지고 잊었던 사명감이 다시 불일듯 일었다.

다리의 통증을 잊기 위해서라도 잠을 청해야 했다. 별 하나 나 하나 별 둘 나 둘 ……. 어릴 적 흉내를 내 보다 어느 새 잠이 들었다.

다시 아침, 정신은 말짱한데 몸이 천근이었다. 하루만이라도 쉬고 싶고 일어나기가 정말 싫었다. 의사도 쉬어야 한다고 엄포를 놓았다. 그러나 몇 달만 지나면 더 하고 싶어도 할 수 없는 일이 될 터였다. 순간 벌떡 일어나 아직도 묵직한 다리를 억지로 일으켜 세웠다.

"안녕하세요. 이 지역 주 하원에 출마한 폴 신입니다."

"Go home! 여긴 동양 사람들이 너무 많아요."

겨우 3%밖에 안 되는 동양 사람들이 많다니 그럼 아예 없어지기라도 하라는 말인가? 울컥 화가 치밀었다. 옛날 같았으면 벌써 주먹이 올라갔을 터였다. 머리를 써서 싸울 줄 몰랐던 시절에는 우선 덤벼들고 보았던 것이다. 그러나 이제 또 그랬다간 신문에 대문짝만한 특보가 날 테니 참을 수밖에…….

"감사합니다만 제 집이 여긴데 어디로 가란 말입니까? 저는 이 에드먼드 시에서 25년을 살았고 직장도 교회도 다 여깁니다. 또 제 아내와 아이들이 미국에서 태어났고, 당신의 자녀들을 제가 대학에서 27년이나 가르쳤습니다."

비아냥거리던 그가 이젠 가만히 듣고만 있었다.

"지난 39년 동안 미국에 꼬박꼬박 세금을 냈고 이 나라를 위해 군대에도 다녀왔습니다. 또 이 지역 사회에서 유나이티드웨이(구제단체), 디크니스(감리교에서 운영하는, 집 없는 어린이 보호단체),

YMCA, 로터리 클럽 등의 이사로서 20년을 봉사했는데 어디로 가란 말입니까?"

골똘히 생각에 빠져 있는 그를 놔 두고 돌아서려다 한마디 더 보탰다.

"이 나라는 하나님이 주인이고 이민으로 이루어진 나랍니다. 당신네 선조가 먼저 왔으니 당신이 먼저 돌아간다면 나도 따라가겠소!"

그가 갑자기 환한 미소를 지으며 내 어깨에 손을 얹더니 한 발 다가섰다.

"내 당신을 찍으리다. 그리고 당신을 돕겠소!"

우리는 서로의 눈을 응시하며 두 손을 움켜잡았다. 웰츠라는 이름의 그 백인은 그때부터 내 선거 사무실에 나와 잔일도 하고 다부진 어깨에 각목을 둘러메고 말뚝을 박으러 다니기도 했다.

그는 나에게 모욕과 멸시에 물러서지 않고 사랑으로 다가가면 원수의 마음도 열 수 있다는 것, 현실을 긍정적으로 보고 헤쳐 나갈 때 더 큰 열매를 얻을 수 있다는 것을 가르쳐 주었다.

어린 시절 겪어야 했던 혹독한 시련과 미국에서 혼자 힘으로 일하고 공부하며 견뎌야 했던 온갖 고생이 오히려 나를 강하고 단단하게 만들었다고 믿는다.

선거운동 7개월, 가가호호 방문 5개월 동안 1만 4천 가구를 하루 평균 1백50가구 정도 방문했다. 덕분에 신발 4켤레가 밑창이 다 닳았고 내가 평생 흘린 것보다 더 많은 땀을 흘렸다. 그때의 경험으로 주 상원에 도전한 1998년에는 여섯 살이나 더 늙은 몸으로 2만 9천

가구를 방문하는 기록을 세웠다.

나의 노력과 고생이 소문나자 친구들이 나섰다.

보브 드르웰 군수나 하원의장인 브라이언 에버셀, 한국에서 온 김현욱 의원 부부가 함께 유권자를 찾아다녔다.

"당신이 바로 우리 스노호미시 군의 군수시군요!"

"친구를 도와 주러 한국에서 여기까지 오셨군요!"

최초의 한인 주 하원의원

'이 밤만 새면 선거날이다. 내일 밤이면 모든 것이 결정 나는데 나는 어떤 처지에 놓이게 될까? 성조기 앞에서 사진을 찍게 될까? 아니면 사람들의 손가락질을 피해 어디론가 숨게 될까?'

가슴이 한없이 답답했다.

'뛰어 봤자 벼룩이지. 22년이나 지켜 온 공화당의 튼튼한 벽을 그 얼굴로 어떻게 넘겠다는 거냐. 더구나 선거전 초반에 터진 LA 폭동으로 한국 사람을 꺼리는 사람들이 많은데……. 절대로 불가능하다. 그래도 예비 선거에서는 겨우 2%밖에 뒤지지 않았고, 그동안 경찰협회와 간호사협회, 치과협회가 나를 지지하기로 했으니 이건 큰 변수다. 해 볼 만하다.'

엎치락뒤치락하다 자리에서 일어나니 새벽 4시 30분이었다. 차고로 나가자 크고 작은 피킷들이 나를 올려다봤다.

'이제 내일이면 우스운 꼴이 되어 쓰레기통으로 갈 것인가? 아니면 고마워서라도 창고에 남겨질 것인가?'

운명이 오락가락하는 것이 내 신세와 똑같아 갑자기 그 피킷들이 친구처럼 다정하게 느껴졌다. 혼자 실소를 머금고 그것들을 차 뒤에 실었다.

196번가와 44번가가 만나는 프레이드 마이어 앞으로 갔다. 아직 어두운 가을 새벽의 냉기가 바바리 코트 속으로 파고들었다. 자원봉사자들이 하나 둘 나타나 내 곁에 서서 함께 피킷을 흔들었다. 조금씩 밀리기 시작한 도로에서 차들은 경적을 울려 주고 손을 내밀어 V자 사인을 보내기도 했다.

오늘이 선거날임을 차도 사람도 확인하며 서서히 열기를 올리는 가운데 날이 밝아 오자 길 건너편에 나의 상대자 잔 백도 봉사자들과 피킷을 들고 서 있는 것이 보여 기분이 묘했다. 우리는 오로라 99 국도로 자리를 옮겨 역시 운동을 벌이다 "꼭 승리할 거예요", "그래요. 승리는 우리 거예요" 하는 말로 서로 위로하며 직장으로 또는 집으로 흩어졌다. 나도 집으로 와 차려 놓은 아침식탁 앞에 다나와 마주 앉아 두 손을 모았다.

"하나님! 드디어 선거날을 맞았습니다. 지난 세월을 돌아볼 때 하나님의 은혜가 너무 큽니다. 미국 땅으로 인도하셨고 주 하원에까지 출마할 수 있도록 키워 주셨음에 진심으로 감사합니다. 제가 할 수 있는 최선을 다했으니 이제 모든 결과를 아버지 뜻에 맡깁니다.

우리 한인 교포들의 대변자가 필요하다는 것을 주님이 아십니다. 또한 이 미국이 하나님께 받은 복을 감사하는 나라가 되게 하옵

소서. 저 개인의 영광이나 이익을 구하고자 하는 마음은 이 시간 멸하여 주시고 오직 하나님 뜻만 바라기 원합니다. 예수님 이름으로 기도합니다. 아멘!"

다나와 시뷰 초등학교에 마련된 투표장으로 갔더니 중앙일보사의 이동근 국장이 기다리고 있다가 투표하는 우리를 향해 플래시를 터뜨렸다.

"헬로, 폴! 당신을 찍고 나오는 길입니다."

할아버지 한 분이 다가와 악수를 청하니 긴장했던 굳은 마음이 풀렸다. 집에 아내 다나를 내려 놓고 다시 가가호호 유권자 방문을 하러 나가는데 딸과 사위가 따라나왔다.

"아버님, 오늘도 나가시게요?"

"그래, 오늘이 마지막이다."

"아빠, 오늘은 다들 선거하러 가고 집에 없어요."

딸과 사위를 데리고 나서며 '내일부터는 더 이상 남의 집 문을 두드릴 필요가 없다' 하고 생각하니 시원하면서도 한편으론 왠지 서운했다.

선거 사무실로 돌아온 나는 전화 앞에 앉아 다이얼을 돌렸다. 승패가 갈리고 난 후에는 고마움을 표현하기가 더 어려울 것 같았기 때문이다. 생각나는 대로 몇 군데 전화를 건 후 그대로 앉아 있자니 가슴이 조여 와 아스피린을 먹고 밖으로 나와 거리를 서성거렸다.

'만약 떨어지면 그 동안 내게 돈과 시간 그리고 노력을 쏟아 준 사람들에게 무슨 말을 해야 할까? 저들의 고생은 어디서 보상받

나?'

무엇보다 교포들의 얼굴을 대할 일이 더 걱정이었다.

'남태평양 외딴 섬으로 떠나야지……. 아니야, 그랬다간 영영 돌아올 수 없어.'

막막했다. 아침의 기도를 떠올렸다.

'이 인간 신호범을 도운 것이 아니다. 사회의 정의를 위해, 한민족의 대변자를 세우기 위해 나를 밀어 준 것이다. 떨어져도 최선을 다했으니 한인 사회에 의미 있는 경험으로 남을 것이다. 변소의 구더기는 백번 천번 떨어져도 기어코 다시 기어올라와 파리가 되어 날아가지 않던가!'

떨어지고 또 떨어져도 희망을 갖자고 결심하니 비로소 마음이 편해지고 자신감까지 생겼다.

사실 낙선에 관한 한 내 경력은 누구 못지않게 화려한 편이다. 이후 연방 하원에 도전해 떨어졌고, 부지사에 출마해 너무 늦게 시작했음에도 불구하고 겨우 0.4%라는 기막히게 근소한 차이로 떨어졌다. 또 가만히 있는 나를 백악관에서 주한 미대사감으로 추천해 마지막까지 경합을 벌였으나 떨어졌다. 이 모든 과정이 얼마나 힘들고 괴로웠을지 상상할 수 있을 것이다. 그러나 주저앉지 않고 또 다시 주 상원에 도전해 당선되었다. 이제까지의 경험이 헛되지 않았다는 평가를 받았을 뿐 아니라, 2세는 물론이고 1세들에게까지 가능성을 보여 준 것이다.

퇴근 시간에 맞춰 다시 큰길로 나가 피킷을 들자 많은 차량들이 나를 찍었다고, 또는 이제 찍으러 간다고 신호를 보내왔다. 내 사진이 박힌 포스터가 붙은 버스가 내 앞을 지나가는 순간, 피식 웃음이 나왔다. 몇 군데 더 돌다가 가족들이 기다리는 식당으로 갔다. 딸 내외와 우리 부부가 전부였다.

"아빠, 꼭 될 거예요. 내 친구들이나 동네 사람들을 만나 보면 알 수 있어요."

"당신 그토록 열심히 했는데 하나님이 도와 주실 거예요. 초조해 하지 말고 꼭꼭 씹어요."

하워드 존슨 호텔 326호실로 들어섰다.

벌써 상기된 표정의 봉사자들이 상황판과 대형 스크린을 설치하고 음료까지 준비해 놓고 기다리고 있었다. 투표를 마감하는 8시부터 길 건너 법원에서 개표를 시작할 예정이었다. 곧바로 이 호텔로 결과가 전해지기 때문에 모든 후보들이 여기에 본부를 차려 놓고 기다리고 있는 것이다.

개표 상황을 지켜보기 위해 찾아온 사람들과 기자들, 카메라맨들로 복도까지 북적댔다. TV에서는 지난 1989년 선거 때는 56%였던 투표율이 올해는 80%로 높아졌고 이것은 30년 만에 최고의 투표율이라는 보도를 내보내고 있었다. 또 이미 개표가 끝난 동부 지역에서는 민주당의 클린턴 후보가 부시 대통령을 누르고 승리했다는 소식도 전했다. 개표 현장인 법원에 가 있던 봉사자의 전화를 받은 런 버그 씨가 벌떡 일어섰다.

"여러분, 첫 개표 결과가 나왔습니다."

순간, 찬물을 끼얹은 듯 장내가 조용해졌다.

"부재자 투표함의 일부를 개표한 결과 폴 신 후보가 1천5백56표로 잔 백 후보를 25표 이겨 1% 앞서가고 있습니다."

순간, 샴페인 병마개가 튀어오르듯 "와아!" 하는 함성이 천장을 뚫어 버릴 것처럼 터졌다. 이익환 회장이 마이크를 잡았다.

"지난 예비선거 때는 처음부터 14% 뒤졌고 계속 쫓아가다가 결국 2% 차이로 졌는데 오늘 본선거는 비록 1%지만 처음부터 이기고 있으니 승리의 가능성이 매우 높습니다."

이제 시작이지만 힘겨운 싸움이었던 만큼 '이겼다' 라는 한마디에 모두 흥분할 수밖에 없었다. 그런데 그 앞섰다는 소식이 오히려 더 가슴을 졸이게 하더니 급기야 쥐어짜는 듯했다.

9시 30분, 두 번째 결과가 들어왔다.

"민주당 폴 신 후보가 3천8백36표, 공화당 잔 백 후보는 3천2백8표로 우리가 7% 앞서고 있습니다."

"Wonderful!"

"It is good news."

"이겼다!"

"우리가 승리했어요!"

이미 승리를 예감한 듯 분위기가 고조되기 시작했다.

10시 30분, 세 번째 결과에서는 10%로 차이가 더 벌어져 있었다. 승리를 장담하며 서로 축하하고 끌어안고 카메라 앞에서 웃음을 터뜨렸다. 상황실이 당장에 축하 파티장이 돼 버렸다.

"그 동안 고생 많았어!"

"우리가 해냈어!"

축하와 격려의 전화가 빗발치고 한국에 있던 김현욱 의원은 세 차례나 전화를 걸어왔다. 나는 손님들과 악수하랴 포옹하랴 전화

받으랴 정신이 하나도 없었다.

"폴의 승리가 자랑스럽습니다. 무엇보다 앞으로 함께 일하게 될 것에 흥분되고 있습니다."

보브 드르웰 군수는 여전히 마음을 놓지 못하고 있는 나에게 마이크를 떠넘겼다.

"여러분의 성원과 기도에 감사드립니다. 이제 당선되면 기대에 어긋나지 않게 미국과 한민족을 위해 최선을 다할 것을 약속드립니다."

시애틀 시의원인 마사 최도 찾아와 나를 끌어안았다. 앞서 선거를 치러 본 그녀는 내 심정을 누구보다 깊이 헤아리고 있었다.

"대통령도 주지사도 민주당이 이겼습니다. 폴의 승리는 개혁을 바라는 민주당의 승리요, 민주주의를 사랑하는 미국의 승리입니다."

밤 11시가 되자 부재자 투표함 일부가 남았을 뿐 개표가 거의 마무리되었다. 여전히 10% 정도 앞서고 있었다. 이젠 아예 당선된 것으로 단정한 기자들이 사람들을 모아 놓고 연신 셔터를 눌러 댔다.

'이제부터 또 다른 고생문이 열리는구나.'

승리의 기쁨을 즐길 새도 없이 다시 어깨가 무거워지는 것을 느끼며 기도했다.

'하나님, 최초로 탄생한 이 한인 주 하원을 당신이 맡아 주옵소서.'

어느 2세의 고백

자정이 지나자 기쁨의 도가니 같던 방이 썰물이 빠져나간 듯 휑해졌다. 모두들 기뻐서 돌아갈 생각도 않더니 내일 직장 갈 일에 한 사람 두 사람 떠나가기 시작하고 곧 썰렁해져 위원들만 남아서 뒷정리를 하고 있었다. 남은 사람들은 늦은 시간이었지만 웃고 떠들며 가벼운 손놀림으로 여기저기 붙은 사진과 구호들을 떼고 있었다.

'만약 졌다면…… 저 떼고 있는 포스터와 플래카드조차도 무거웠으리라.'

여기 왔던 모든 사람들도 함박웃음 대신에 쓰린 가슴을 안고 '한국 사람은 안 돼! 여긴 미국이야!' 하며 돌아갔겠지. 나는 지금쯤 어떤 기분이 되어 있을까…… 상상하기조차 싫었다.

그때 젊은 한인 청년 두 사람이 머뭇거리며 들어섰다. 쭈뼛쭈뼛하더니 이내 내게 다가왔다.

"신 박사님께 감사드리러 왔습니다."

처음 보는 청년들인데 도대체 뭐가 고맙다는 것인지 영문을 몰라 쳐다만 보는데 뜻밖에도 한 청년이 눈물을 뚝뚝 떨어뜨렸다. 친구인 듯한 옆의 청년도 눈자위가 벌게져 있다.

"왜 우는지 물어 봐도 될까요?"

심상찮은 분위기에 재촉을 못 하고 잠깐 기다렸다.

"신 박사님은 방황하는 우리 2세들에게 희망을 주셨습니다."

벌써 내 눈에도 눈물이 고였다.

"저는 부모님을 따라 어릴 적에 미국으로 와서 미국 교육을 받았지만 코리안이기에 큰 꿈을 가져 본 일이 없습니다. 사회에 나가도 장사를 하거나 월급쟁이가 고작이지 백인들이 뽑아 주는 정치인이 될 수 있을 거라고는 상상도 못 했습니다. 그러나 신 박사님께서 해내셨으니 이제는 우리도 할 수 있습니다. 정말 감사합니다."

1970년대 중반부터 한국에 미국 이민 바람이 크게 불었다. 그 무렵 부모의 손을 잡고 미국 땅을 밟았던 2세들이 미국 교육을 받고 자라 1980년대 말부터 미국 사회로 진출하기 시작했다. 그러나 그들 대부분은 소규모 개인사업을 하거나 월급쟁이가 되었다. 의사나 변호사가 되어도 미국 주류 사회로는 나아가지 못한 채 한인 사회에서 한인들을 상대로 개업해 한정된 시장 안에서 한인들끼리 서로 경쟁하며 살아야 했다.

부모들은 열심히 돈 벌어 자식들을 좋은 대학에 보내 놓으면 다 끝나는 줄 알지만 2세들에게는 그때부터가 시작인 것이다.

얼마 전에 들은 어느 2세의 고백은 내게 큰 충격을 주었다.

미 육군사관학교에 다니던 한인 학생 1명이 학교 건물 6층에서 뛰어내렸다. 처음에는 타살인가 조사도 해 보고 인종 차별도 의심해 보았지만 유서가 발견돼 모든 의문이 풀렸다.

"나는 군인이 되고 싶지 않았는데……."

한 줄의 짧은 고백이 우리 모든 한인 부모들을 다시 생각하게 했다. 오랜 군사정권 아래 살아온 우리 1세들이기에 사관학교를 선망했고 불경기를 타지 않는 군인이 좋은 직업이라 생각한 탓에 자녀들의 적성을 파악하여 하고 싶은 일을 하며 행복하게 사는 길을 가게 하기보다 돈 잘 벌고 출세하는 길을 가도록 강요한 우리들의 잘못을 지적받는 순간이었다.

하버드 대학을 우수한 성적으로 졸업하고 취업 인터뷰를 다녀온 2세가 자살했다.

"왜 나를 한국 사람으로 낳아 놓고 한국말을 안 가르쳤습니까? 부모님이 원망스럽습니다."

이민 온 모든 부모들을 향한 절규가 그가 남긴 유서에 있었다. 우리는 모두 뒤통수를 얻어맞은 듯했다.

"우리 회사가 한국 사람을 뽑을 때는 당연히 한국말을 할 것을 기대하고 뽑은 것입니다. 한국말을 못 하는 한국 사람은 필요없습니다."

한국말을 못 한다는 그에게 유태인 사장이 했다는 말이다.

우리 1세들은 돈 벌기에 바빠 자녀들과 대화할 시간이 없었고 돈은 벌었어도 자녀들에게 민족 교육을 시킬 줄은 몰랐다. 군사정권의 나라, 최류탄과 데모의 나라, 사치와 향락의 나라에서 이제는 IMF의 나라라고 일부에서 평하지만 우리 나라는 단일 민족이요, 엄연히 우리말과 우리글, 전통과 역사가 있는 우수한 민족이다.

반만년 동안 강대국 사이에 끼여 있어 수없이 침략받았고 지금도 강대국들의 놀음에 분단된 민족이 되었지만, 그럼에도 우리는 동양의 유태인, 유태인보다 더 무서운 민족으로 불리지 않는가.

그렇다! 우리가 유태인처럼 민족 주체성을 바탕으로 하여 자녀들을 키웠다면 저들이 벌써 미 주류 사회에서 지도자가 되어 한민족을 돕고 나아가 국위를 선양하였으리라.

사업가, 의사, 변호사도 좋지만 소수 민족인 우리 자신의 권익을 지키고 신장시키기 위해서는 법을 만들고 집행하는 정계에도 우리 2세들을 진출시켜야 한다. 그럼 우리도 유태인이 해 온 것 이상으로 우리의 것을 지켜 낼 수 있게 될 것이다.

내가 주 하원에 도전해 승리했던 날 나를 찾아온 두 청년의 고백은 나에게 진정한 승리의 기쁨을 맛보게 했고 내가 가야 할 길을 더욱 확실하게 해 주었다.

"이제는 우리도 할 수 있습니다."

이 한마디는 연이은 실패로 그냥 그대로 주저앉고 싶을 때마다 또다시 나를 일으켜 세우는 힘이고, 숱한 오해와 비난의 화살 앞에서도 버틸 수 있었던 나만의 비밀 무기였다.

두 청년의 고백을 들은 지 7년 후인 1999년 9월, 2세 정치인 후원 장학회를 탄생시켰다. 내가 오랫동안 꿈꿔 왔던 일이다.

'이제 나는 늙고 힘을 잃어 가지만 남은 힘을 다 모아 2세 정치인을 10명, 20명, 아니 미국 50개 주에 1명씩 꼭 50명만이라도 키워 보고 싶다.'

내게 고맙다고 말해 줘서 고맙습니다

Thank you for thanking me

그토록 피곤한 하루를 보냈는데도 잠이 오지 않았다.

'부재자 투표에서 뒤집어지는 것은 아니겠지?'

설마 하는 걱정에다 두 청년이 준 감동과 흥분의 여운이 채 가시지 않아 더 잠이 올 것 같지 않았다.

뒤척이다 차고로 나가 'Elect Paull Shin' 이라고 쓴 커다란 피킷 뒤편에 'Thank you' 라고 썼다. 두 청년이 내게 했던 말을 다시 내가 해야겠다고 마음에 감동이 온 것이다. 먼저 공화당 표밭에서 민주당을 찍어 준 것에 감사했고, 백인도 아닌 동양인을 자신들의 대표로 뽑아 준 것에 감사했으며, 초선인데도 믿어 준 것에 더욱 감사했다.

출근길 차량으로 밀리는 대로로 나가 비를 맞으며 피킷을 들고 섰다. 어제보다 더 많은 차들이 내게 격려를 보내 주었다. 차에서 내려 악수를 청하고, 뜨거운 커피를 건네고, 돈을 주는 사람까지 있었다.

"내 평생 찍어 달라고 피킷을 흔드는 사람은 많이 봤지만 당선된 후에 고맙다고 피킷을 드는 사람은 당신이 처음입니다."

"역시 동양 사람은 예의가 바르군요."

"선거가 끝나면 파티 쫓아다니느라 바쁘다던데 당신은 웬일입니까?"

마침 지나던 시애틀 타임스 기자가 내 모습을 찍어 신문에 크게 실었다. 그 사진은 다시 미국 기자협회로 보내져 미국 전역에 보도됐다. 그 바람에 연락이 끊겼던 친구가 반가워하며 전화를 걸어오기도 했다.

부재자 투표함 개표 결과가 궁금해 방송국으로 전화를 걸었다. 잔 백 1만 7천1백58표, 무소속 로제타 잭슨 3천53표, 폴 신 2만 5백23표. 내가 이겼다. 공중전화 부스에서 나오는데 몸이 둥실둥실 떠오르는 듯하고 발은 마치 구름 위를 걷는 듯 바닥에 닿는 느낌이 들지 않았다. 친구들과 동포들의 고생이 헛되지 않게 되어 마음은 무거운 짐을 내려놓은 듯 날아갈 것 같았다.

"축하해요! 당신 이젠 좀 쉬세요."

"아빠! 내가 뭐랬어요. 꼭 될 거라고 했잖아요."

나와 함께 제일 많이 고생한 사위도 싱글벙글이었다.

유타의 양어머니에게 전화했다.

"장하구나! 네 아버지가 살아 계셨다면 얼마나 좋아하셨을까!"

나를 볼 때마다 할머니가 했던 말이 떠올랐다.

워싱턴 주 의사당 앞에서
초로의 나이에 초라히 서 있지만 훗날 많은 후배들과 함께
설 날이 오기를…….

'네 어미가 살았다면 얼마나 좋아했을까.'

오전 9시가 되자 사무실의 전화통에 불이 나기 시작했다.

"폴 신! 당신은 우리 민주당에 새로운 역사를 만들어 주었소. 축하하오."

"신 박사님, 이제 며칠 휴가 좀 다녀오시죠."

퇴근 시간에 맞춰 다시 거리로 나가니 한 중년 남자가 다가왔다.

"Thank you for thanking me.(나에게 고맙다고 말해 줘서 고마워요.)"

악수를 나누고 돌아서는 순간, 나의 뇌리를 번개처럼 스치고 지나가는 것이 있었다.

'맞아! 그거야! 저 백인이 지금 내게 한 말, 그 말은 그 두 청년에게 내가 해야 하는 말이 아닌가. 아니, 평생 후세들에게 하고픈 말이다.'

'Thank you' 피킷을 든 손에 힘을 주어 꽉 움켜쥐고 더 힘껏 흔들었다.

1993년 새해를 맞았다.

항상 드나들던 청사였지만 의원 취임식이 있는 날이기 때문인지 모든 것이 새롭게 보였다. 친아버지를 비롯해 가족들과 양어머니가 오셨고 각계각층에서 먼 길을 달려와 지켜보는 가운데 취임사를 했다.

"나는 미국의 은혜로 다시 태어난 사람입니다. 이제부터는 그 은혜를 갚기 위해 열심히 일하겠습니다."

"한국 사람으로는 처음으로 의회에 나온 폴 신 의원의 연설은 들을 때마다 특이한 감동을 줍니다. 이 미국은 바로 이런 사람 때문에 세계 최강국이 되었습니다."

국회 의장이 마이크를 받아 거들었다.

45년 전 백인 전용 식당 앞에 내던져졌을 때 '내 언젠가 반드시 너희를 도우며 살 날이 오리라' 했던 맹세와 기도가 이제야 이루어진 것이다.

퇴임한 부스 가드너 전 주지사가 나를 찾아왔다.

"폴! 축하하오! 이제부터 당신의 날들이 열려 있소. 일 많이 하시오. 내 지켜보리다!"

내가 정계에 나갈 수 있도록 다리가 되어 준 그가 고맙고, 그 다리를 건널 수 있도록 밀어 준 친구들과 동족들이 고맙고, 이 모든 사람을 만나게 해 주신 하나님이 고마워 뜨거운 눈물이 솟았다.

이제 내가 갈 길은 오직 한 길!

"내게 고맙다고 말해 주어서 고맙습니다."

"Thank you for thanking me!"

이 한마디를 남길 수 있도록…….

자르는 선

우 편 엽 서

보내는 사람

이름 (만 세) □남 □여

통신 ID E-mail Add.

직업 전화

주소

□□□-□□□

주식회사 웅진닷컴

서울특별시 종로구 동숭동 199-16
웅진빌딩 단행본개발부

1 1 0 - 8 1 0

WOONGJIN

편집부 3670-1853~5
영업부 3670-1861~6

독자카드

이 엽서를 보내 주시면 '웅진 독자회원'이 되십니다. 회원에게는 신간정보 및 부정기간행물을 보내 드립니다. 여러분의 성의 있는 답변은 좋은 책을 펴내는 데 소중한 밑거름이 됩니다. 고맙습니다.

■ **구입하신 책 이름 :**

■ **구입하신 곳 :** 에 있는 서점

■ **이 책을 구입하시게 된 동기**

☐ 주위의 권유로(로부터 권유받음 / 로부터 선물받음)
☐ 광고를 보고
광고를 본 매체 — 신문이나 잡지 이름 :
라디오나 TV 프로 이름 :
기타 :
☐ 신간안내나 서평을 보고
서평을 본 매체 — 신문이나 잡지 이름 :
라디오나 TV 프로 이름 :
웅진의 홍보물 :
사보나 기타 :
☐ 서점에서 우연히(☐ 제목 ☐ 표지 ☐ 내용)이 눈에 띄어서
☐ 좋아하는 작가여서 ☐ 베스트셀러니까
☐ 인터넷에서 보고(☐ 웅진 홈페이지 ☐ 사이버 서점)

■ **이 책을 읽고 난 느낌**

내용이 기대만큼	☐ 만족스럽다	☐ 보통이다	☐ 불만이다
제목이	☐ 잘 되었다	☐ 보통이다	☐ 잘못되었다
표지가	☐ 잘 되었다	☐ 보통이다	☐ 잘못되었다
편집체제가	☐ 잘 되었다	☐ 보통이다	☐ 잘못되었다
책값이	☐ 비싸다	☐ 알맞다	☐ 싼 편이다

■ **관심 있는 책의 분야**

☐ 시 ☐ 에세이나 흥미있는 읽을거리 ☐ 국내소설
☐ 외국번역소설 ☐ 교양상식 ☐ 역사 ☐ 철학 ☐ 과학
☐ 자녀 교육 ☐ 실용 ☐ 기타( )

■ **구독하고 있는 신문, 잡지 이름 :**

■ **즐겨 듣는 라디오 프로그램 :**

■ **즐겨 보는 TV 프로그램 :**

■ **최근에 읽은 책 중 가장 기억에 남는 책이나 권하고 싶은 책은?**

책 이름 출판사 이름

■ **구입하신 웅진의 책을 읽고 난 소감이나 웅진에 바라고 싶은 의견**